知的生きかた文庫

中村天風の生きる手本

宇野千代
中村天風・述

JN262644

三笠書房

はじめに

「天風先生座談」は、こうして歴史的名著となった！

本書は、宇野千代先生による歴史的名著、『天風先生座談』の文庫判です。

宇野先生は、中村天風先生（本名・中村三郎）の、もっとも著名なお弟子さんの一人でありました。

天風先生が亡くなる四年ほど前から、宇野先生は、その薫陶《くんとう》を受けていたのです。後日、「この四年間に、私は自分で信じられないほどの変り方をした」と述懐されています。

天風先生と出会ったころの宇野先生は、それまで十七、八年間も一行も書けないという、作家として大スランプに陥っていました。当時、宇野先生は、そのようなご自分を「私はちょうどそういう年齢に達したのだ」といった、一種、諦めの気持ちで眺められていたようです。

それが、天風先生と出会ったことで、大きく変わります。

「人間は何事も自分の考えた通りになる」——。

天風先生のこのような言葉が、作家としての先生を蘇らせたのです。事実、「書けると信念すれば書けるのだ」と確信してからというもの、宇野先生は「蘇生したように書き始めた」と回想されています。『雨の音』といった名作、『生きて行く私』といったベストセラーは、その後に生まれた作品です。

「ちょうど私が、先生の講話によって蘇生したのと同じ経過で、幾百万の読者が、その同じ幸運に会われるようにと、敢えて世に問う」——本書は、宇野先生のこのような思いから書き下ろされました。一読されれば、天風先生が「あらゆる場合に、生きた手本をもって示される」ことを痛感されるに違いありません。

人生観、家族観、労働観……現代は、従来の価値観が大きく崩れ、人々が生きる指針を見失いつつある時代と言えるかもしれません。その意味では、混迷の時代とも言えるでしょう。

このような時代だからこそ、天風先生の力強い言葉の一つひとつが、私たちを勇気づけ、病んだ心を癒し、幸福に進む道を示してくれるのかもしれません。本書が刊行から二十余年の歳月を経てなお、新鮮な輝きを放っているのは、このためであると言えるでしょう。

幸福は幸福を呼ぶ――私たちはそのような思いから、この歴史的名著を、再度、文庫判として刊行することに致しました。

なお、文庫化にあたって、昨今の読者が読みやすいように、適宜、見出しを挿入しております。また、本書には、当時の時代環境もあって、一部不適切な表現がありますが、著者がすでに故人であり、また作品の芸術性を尊重し、発表時のまま掲載致します。

『中村天風の生きる手本』編纂室

『中村天風の生きる手本』◆もくじ

はじめに　「天風先生座談」は、こうして歴史的名著となった！　3

1章◆生きる手本――
人生、何事も自分の考えた通りになる！

1　ごまかしや、一人よがりのない「最高の人生」を！　16
「いっぺんは必ず死ぬ」――だから　16

「病い」をよせつけない人 20
今日から「真に強い生命」を得る！ 22

2 心身統一法――「幸福を呼ぶ」いちばん確かな法 26

心と体を「一丸」にしてみる 26
「自分の寿命を完全に全うする」生き方 28

3 あなたを幸せにする「たった一つの大事なこと」 32

毎日を幸福に生きる「注意事項」 32
まず「相手を無邪気に受け入れる」 34
「お前の助かる道」を教えよう 38
人生の真理を教わる「準備」 42
頭を「空」にしてみる！ 45
心と体を一つにすれば、人は病いにならない！ 48

2章 ◆「別人のような強い心になる」心身統一法

4 生命の基本「宇宙エネルギー」を受け入れよう 54

「デル・ナツール・ヘルトリープ」のすごい力 54

この「宇宙エネルギー」こそ神であり仏だ！ 58

力の源は、じつは「ガス体」にあった！ 61

5 私の「心身統一法」の根本にあるもの 64

「地球の根っこ」につながる 64

「体力・胆力・精力・能力・判断力・断行力」が俄然高まる！ 66

「食って」「寝て」「垂れる」だけの人生からの脱却 69

6 「体に奇跡を起こす」私の生き方 72

「命」を一口で説明すると―― 72
突然「明るい世界」へ！ 75
どんな場合も「尊く・強く・正しい」生き方 79
「肉体の老化」にブレーキをかける 81
毎日「五百回の足踏み」 84
訓練的な積極化――長く太く生きる「本当の方法」 86

7 「わが心」を完全に「わがもの」にする法 89

「あなただけのチャンス」 89
あやつり人形を「あやつる糸」 92
「心を掃除する」とすべてが好転する！ 96

「自分の心」を思うままにあやつる人 100
今日「生れつきの強い心」を取り戻す！ 102

8 どうすれば「弱い精神」を強くできるか 106

学者の言うことを信じるとバカを見る 106
まず「健全な精神」。次に「健全な肉体」 109
強い心、弱い心 113

9 幸福を呼ぶ「心の掃除術」 117

まず、自分の〝心の倉庫〟をのぞいてみる 117
幸福になる人は「怒らない」「悲観しない」「恐れない」 121
消極的感情を〝掃除する〟 123

3章 「一生に一度の感動」を得る！

10「死なずに生きている」——この事実に感謝を！ 130
「世界一の幸福者」とは？ 130
魂の夜明け——人は「自分を高める」ために生まれてきた 135
「クワイトウェル（非常にいい）」を朝の口グセに！ 138
11 上ばかり見て下を見ないから、幸せになれない 142
「僅かな喜び」が「大きな喜び」に変わる 142
夜、寝る前は「昼のことを考えるな」 145
「精神のアンテナ」を変えろ 148

「参った」「助けて」「苦しい」と言うなかれ！ 150
怒るな。怒るたびに「あなたの血」が汚れる 153
何事に対しても「現在感謝」の心 156

4章 ❖ これが「大きな幸福が訪れる人」の生き方

12 お金があって幸福な人、不幸な人 162
「幸福な人生を生きる人」は、一目でぱっとわかる 162
「日本一の大金持」の心の中 167
「十本の指に五百個の指輪」の話 170
「紫禁城で王侯貴族のように暮らす」 174

幸福か不幸かは「あなたが決めること」 176
「あなたの外」に幸せはない！ 178

13 中村天風が語る「自分の人生の生き方」 181

生き甲斐のある「男としての仕事」と出合う 181
「俄然、私の心の中には、大きな変化が起こってきた」 183
最終ページで起きる〝不思議な現象〟 186
「この世に神も仏もあるものか」と思ったとき 190
自分の体を治す「最善の法」 193
飛び込めば助かる「扉」はあるか 195

14 「人生という旅」で私がつかみとったこと 200

人間、寂しくなると「誰のこと」を思い出す？ 200
ヨガの大哲人の「幸福になる言葉」 204

悟りのヒント――「闇の夜に、鳴かぬ鴉の声聞けば」 209
「心の中のもう一人のあなた」が正解を知っている！ 212

15 今日から「喜びと感謝の毎日」を生きる！ 216

今、死なずにいるのは「丈夫な心」のおかげ 216
カント流「現実を喜びと感謝に変える」法 219
形容出来ない「嬉しさ」「愉しさ」 223
人生は「窓をあける」だけで明るくなる 225

天風先生と私 229

本文中、(＊)とあるものは、編纂室による注記です。

1章

生きる手本——
人生、何事も自分の考えた通りになる!

❶ ごまかしや、一人よがりのない「最高の人生」を！

✣「いっぺんは必ず死ぬ」――だから

みなさん。ようこそおいでになりました。私が中村天風であります。

さて、今日から私の話を聞くためにお集りくださったみなさんに、できるだけ率直簡明に、心身統一の方法をお話しすることにいたしましょう。

人生は理屈ではありません。生きているということは、どこまでいっても現実であります。夢のようなうつつのような世界でないのが人生であります。そしてしかも、これも真剣にお考えにならなければならない問題ですが、言われればああそうかと気がつくのですが、たいていの人が気がつかない。それは、人間てェものは、生れたら必ず死ぬものだということです。

どうも、とかく現在生きてる人は、死なずにいるものですから、自分だけは死にそうもないように気楽に考えている人がある。しかし、死の魔の手は、いつなんどきあなたの生命の上に襲いかかるかわからない。ただ自分が急にそういう恐しい目に会いそうもないという、自分だけの独りぎめの観念で、「そりゃァ、人間はいっぺんは死ぬよ。」というようなことを平気で言っていて、やがて自分もその運命に見舞われる一人だということを、真剣に考えない。

一休禅師の言葉に、「昨日まで人のことだと思いしに、こんだ俺《おい》らか、こいつ堪《たま》らん。」という歌がある。一ぺんは必ず死ぬということを考えたときに、同時にもう一つ考えなければならないことは、こうして毎日毎日、刹那《せつな》刹那《せつな》に、生きているものは、すべて一様に、人生の最後のターミナルである死の墓場に、知ると知らざるとを問わず、近よりつつあるということです。

あなたがたが今日ここへ来られた午後六時より、いまはもう、半時間たちました。

半時間だけ、あなたがたの最後のターミナルへ近づいたのでありまして、こう申しあげても、微笑で私の顔を見られて、「俺だけはそうじゃァないや、」という顔をして、気楽に考えておられる人がありますが、しかし、この否定すべからざる人生の一大事を、静かに考えてみたときに、自分の生命の現在の在り方を考えてみたときに、これで好《い》いわ、とあなたはおぼしめすか。

いえ、もっと率直に申しあげれば、健康なり運命なりがどう見ても完全ではなく、生きているとは名ばかりの、すこしも生き甲斐というものを感じない人生を、繰り返しているだけなのです。このおろそかに出来ない事実を、なぜもっと真剣に考えないのかと、私は不健康な人や不運命な人に会うたびに考えさせられるのです。

そのうえ、なかには、不健康だとか不運命だとかいうものは、人生の逃れることの出来ない約束ごとで、これがあるのが人生だと、そういうふうに、古いショーペンハウエル流の哲学を、いまだに信奉して生きている人もあります。

しかし、それで自分の気持だけは幾分か慰められるとしても、現実の人生というものは、それでは救われないでしょう。また、たとえ運命がどんなによろしかろうと、健康が思うにまかせない状態では、毎日がどんなでしょうか。運命が順風に帆を上げたような状態で、相当に金もある。そういう人たちは、金の力を持ってしさえすれば、健康なんていうものは簡単に自分のものになし得るものであるかのごとく、軽率な考え方をしている仕合せ者が、世間には多いのであります。お仲間のなかにもおられやしませんか。

そういう人たちの、その言い草がふるっている。金さえあれば良い薬がのめるし、好い医者にもかかれる。良い病院にもはいれるじゃないか、とこう言うんです。言い草としては一応なりたつかも知れませんが、現実にわれわれを肯《うけが》わせてくれるでしょうか。

もしもそれが間違いのないことだとしたら、金持は病い（先生は病気のことを決して病気とは言わない。病いと言う。病気というのは、あれこれと気を病んで、気持で病気をつくる人の状態をいうのである。）になってもすぐ治っちまって、貧乏人は病いになればやたらと直ぐに死んじまいそうなものですが、皮肉なるかな現実は、その日その日食うや食わずの、医学的に見たら、栄養失調もいいとこの生活をしている日雇い労働者の仲間に、非常な健康者が多いのであります。

✣「病い」をよせつけない人

お医者のお得意というのは、金のある奴なのです。金があるからお得意なのではない。金持に限って体が弱いから、お医者の鼻の下の空安寺の建立が、結局うまく継続されて行くというわけなのです。

皮肉なことを言うようですが、お集りの中にはお医者もおられるでしょうが、いかがです。あなた方、健康保険の人間ばかり診ていることが愉快か、健康保険なんかに関係のない高価な薬でも、どんどん買ってのんでくれる患者の方が好感がもてるか、いかがですか。

まさか即座には答えられんでしょうが、これはね、健康保険のない人間が医者のところへ行ったときのほうが、医者は同じ頭を下げる場合にも下げかたが違うのですよ。医者によると、私のところは健康保険は扱いませんよ、と断る医者がある。

医者に行って、「私のところは健康保険以外のものは診ないんだから、健康保険にはいってない人は、ほかの医者に行ってください。」なんて言うような医者が日本にあったら、一人か二人だろうと思うが、いかがだろう。

それはね、金があれば医者は大事にしますよ。医者に大事にされたから、病いは必ず治る、健康になれる、と言えますか。金があると大事にしてくれるのは、医者それ自身の問題です。治す、治さないは別問題だ。金をよけいに持って行ったら治るだろうと思ったら大間違いです。そんなことを言ったら、金のある奴はみんな丈夫になっちまう。医学なんて、そんな重宝なものじゃないですよ。金のある奴はすぐ治し、金のない奴は治さない。治さずにおこう、というような変転自在なもんじゃないですよ。

これはお医者さんが一番よく知っていることだけれど、なるほど、昔と今とくらべると、医学は今のほうが進歩している点もあります。昔はどうにもしようのなかった病いでも、今は治るという場合もあるが、万病これすべてが、ことごとく治るようになっているんじゃないでしょう。

これは医者が一番よく知っている。抗生物質の発見によって、バクテリアやバチルス（*細菌）の関係する病いは、なるほど二十年前と今日では比較にならぬほど治りかたが目ざましい。昔ならほとんど十人が九人まで、年とってかかった肺炎なら老人性肺炎であの世へ行くのが、この頃は非常にすくなく、死んでも四割か五割であります。昔なら、もう全然、かかったら助からないと言われた盲腸のごときが、今は早くさえあれば助かる率が多いというような事実だけを見て、どんな病いでも医者にかかったら治っちまう、と思ったら、これは大変なあわてた考えかたである。治らない方面の病いは、昔も今も変りないですよ。脳溢血、高血圧、動脈硬化、心臓麻痺、癌、なんていうものは、全然、昔も今も変りないのです。

✣今日から「真に強い生命」を得る！

いいえ、もっと身近な例を言えば、これほど進歩した医学を持っている人類に対して、進歩しているのはある一部分だけで、進歩しない方面は、昔も今もちっとも変らない。たとえば神経痛ひとつ、今の医者は治せないでしょう。喘息ひとつ治せないじゃありませんか。はなはだこれ、医学をけなしているようですが、私も医学を研究した人間ですから、率直に、医学の欠点に対して言っているわけです。

お集りのお医者の中で、俺は喘息治せる、と言う人があったら、手を上げてください。俺は神経痛たちどころに治せる、という人があったら、手を上げてください。遠慮なく手を上げてください。私はそういう人を探しているのです。風邪ひとつ、満足に治せる医者はいないじゃないか。いや、この間、医者にかかったら治った。それはひとりでに治っちゃったんですよ。治らない風邪だったら、どんな医者にかかったって治りやしない。

しかし、そうは言っても、科学時代の人間が、科学によって研究されている医学を、無視することは出来ない。と言われるかも知れない。もちろん、無視しちゃァいけません。無視しろと言っているんじゃないんです。医学に全生命をあずけることが、むしろ、極めて策を得たものでない、という考えかたで、私は申し上げているのです。

それに、また、千歩万歩ゆずって病いにかかれば医者にかかる。かかったら直ぐ治っちまったとしても、だからといって、何も物好きに病いにかかる必要はないでしょう。「町内にも医者が増えたし、病院も出来たんで、ものはつきあいだ。あんまり丈夫でいても、あんた方に会ったときにきまりが悪いからよ。偶《たま》には患《わずら》おうじゃァねェか。」という必要はないと思うが、いかがでしょうか。

月に人工衛星が飛んで、無人の飛行機が戦争しようという時代に、生命に関する常識が、いまだにかくのごとくに幼稚であることは、これでも完全文化といえるでしょうか。

俗に、命あってのもの種《だね》、と言いますが、人生、人として生きる以上は、みだりに死ぬことは許されません。生きている以上は、あくまで頑健鉄のごとく、真に強い生命を保ちながら生きるんでなくては、人間として、ほんとうの生き甲斐は感じられない、というものです。

これはあなた方ご自身が、ご自分でお考えください。自分はやせ我慢や、から威張りや、屁理屈や、ましていわんやドグマの自己断定では解決されない。この肉体を生かしている瞬間瞬間が人生です。ごまかしや、ひとりよがりが利《き》かないのが、この生命です。この生命を、真に生き甲斐のある状態にするには、道は法を知って達する、であります。

② 心身統一法――「幸福を呼ぶ」いちばん確かな法

✣心と体を「一丸」にしてみる

人間はどうしてものを考えるのか、嬉しいときは嬉しいと感じ、いやなときはいやだと感じ、いま、こういう話を聞いていても、非常に感動して聞いている人もあれば、悪口ばかり言われている医者なんていうものは、「ざまァ見ろ、畜生め。てめェが医者になって見ろ。医者になっていないから、そんなことを言やァがるんだ。」なんていう顔をして、私を睨《にら》みつけて、非常なコンプレックスを感じている人もあるでしょう。

聞きかたによっては、思い思いの感想なり、インスピレーションを感じておられるのは、どういうわけかというと、精神科学や実験心理学の杳《よう》として知るあたわざる、秘密の扉の奥に秘めかくされた消息であります。これは、哲学を研究しなければわからないことであります。

幸い、十二、三年ほど前から、アメリカの医学者が、在来のドイツ流の、物質本位の研究医学では、結局人間は救われない。物質本位の研究医学は、結局、動物医学なんだから、人間には幽玄微妙な働きをおこなう神経生活機能がある。その生活機能を支配しているものが心である以上、精神生命消息というものを、もっと、科学以外の考えかたでもって研究しなければ駄目だ。そこで始めて完全な医学が出来あがるという見地に立って、まだ年限は僅かですが、十二、三年前にアメリカに新しい主張でおこった医学が、精神身体医学という医学であります。

当然これは時代の要求ですよ。時代の要求というよりは、むしろ人間の発達にともなうロイヤルロード（＊王道）です。そうあるべき筈のものです。自慢するわけではないが、私は五十年前にそのことに気がついた。人間の生命を解決するには、肉体だけでは駄目だ。心と肉体が打って一丸となったものが生命である以上、その見地に立って、われわれの生命の生き方と生かし方を研究しなければ駄目だ。というのが、私の心身統一法を組み立てる、思想の根本をなしているのです。

✤「自分の寿命を完全に全うする」生き方

あなた方は、自分が生きていることは、死んでいない以上、よくご存じです。どんなとぼけた奴でも、「いやァ、俺はひょっとすると死んでやァしないか、」などと思っている人はいない。生きているということの現実の、生命のコンディションの中に、生かされている部面と、生きなければならない部面との二つがあることに、気がついていますか。わかりやすい言葉で言えば、生存と生活というものが、打って一丸とされない限り、生命存在の現実を、確保することは出来ないのです。私はこのことに、自分で医学を研究していながら、気がつかなかった、あわて者の一人であります。

いったい、生活に対する方法ばかり考えて、どうすれば達者で生きられるだろう。食い物かしら。薬かしら。あるいは空気の良いところかしらと、つまり肉体本位の、生活することばかりを、健康獲得への唯一の手段だと考えていたとは、なんと長年の間、無駄な努力を繰り返して来たことでしょう。肝心かなめの、生かされている方面に関しては、生かされているんだから何も改めて研究する必要はないと思っていた。

なるほど、それは、生存という方面に関しては、なんら自覚がなくても、ある程度まで生きていかれますよ。結局、死なない限り、生きていかれるということは、生きている間に、完全に健康で、しかも長生き出来るということにはならない。どうやらこうやら生かされているという状態が、ただ続いていて、ある年限が来ると、寿命も来ないのに、何かの病気刺戟か、あるいはその他の事情で、ぽっくりとこの世から姿を消してしまうだけなのです。

世の中には、健康法を説いたり、修養法を説いたりしている人はいくらもありますが、生命の方面に関して、正しい理解と研究をしている人はありません。生活に関しては、いろいろなことを考えているらしいのですが、生存方面に関しては誰も考えてはいない。

このことをおろそかにして何があるのだということを、私もまた、自分の研究によって知ったのではない。偶然の機会に、私の青春時代のことですが、インドのヨガの哲学の発祥地である、ヒマラヤの第三番目のピークのカンチェンジュンガの麓《ふもと》で、三カ年の間おったことがあります。ここで、人間に関する根本的な大事なことを考えさせられているときに、私の師とあおぐ人から言われた言葉によって、はっと大きな衝撃をうけたのであります。

「お前は生きることばかりを考えているけれども、生かされている方面の命を、どうすれば正しく生かしていけるか、それを考えなければ駄目じゃないか。生存に対する生命のバイブレーションというものが、絶対に必要だということを、お前は考えていない。お前はただ、生きよう、生きよう、という努力をしているだけだ。それじゃ駄目だ。ものの半面だけしか見ていない。片っぽうの大事な部分をおろそかにしている。その考え方で組み立てられている生き方には、大きな錯誤があるぞ。

いままで、お前が多くの医学書を読み、しかもアメリカで基礎医学を学びながら、お前のいま持っている病い一つ治せずにいるのは、そこに大きな欠陥があったからだということに気がつかないか。」

どこの医学の学校に行っても、どんなに偉い医者に会っても、そんなことをいっぺんも言われたことはなかった。この大事なことを、インドの山の中で、私は始めて耳にしたのであります。それが後年、私の心身統一法を考え出すもとになった。

もちろん、その内容に関する技術的な説明は、いずれあなた方のお耳に入れますが、この心身統一という一つのドクトリン（＊教義）は、健康と運命とを完全にする生命要素というものを作ることを、プリンシプル（＊原則）にしているのであります。生命要素とは何かというと、平たくいえば、つまり健康と運命とを両立して完成するのに必要な、生命の力であります。

❸ あなたを幸せにする「たった一つの大事なこと」

✣ 毎日を幸福に生きる「注意事項」

今日から、あなた方が毎日すごされるに必要な注意を申しあげる筈ですが、始めてこういう話をきく人は、何かこう、無理矢理にでも、天風の言うことは無条件で受入れろ、とでも言っているように聞くかもわかりません。

決してそうではないのであります。あなた方もいままで、人生を生きて来られた以上、大なり小なり、自分というものを本位として、自分の人生というものを考えて来られたに相違ない。だから、その考え方をぜんぜん無にして、これから私の話を聞こうという計画は、これはきわめて尊いことに相違ないが、それは出来ない相談というものです。出来ない相談どころではない。そういう相談をするほうがすでに無理なんで、そのいい例が、私が人生を研究しつつある最中に、世界的に名のある学者や識者に何人か会いました。そうして、彼らの口から、彼らのいう学問的な蘊蓄《うんちく》や体験を聞かされたとき、私は決してそれを無条件に受入れようとはしなかった。

彼はこう言うが、私はこう考える。あれはあれとして学問的な意見で、彼はそういう観察をしているが、私は彼とは生い立ちから違う。生活の条件が違っている。あれをそのまま受入れるというのは、どうかと思うな、というような、常に批判的な態度で聞いていた。

考えてみると、ずいぶん、愚にもつかないことを正しい態度でもあるように考えて、いま言ったように、むなしくアメリカやヨーロッパの世界的な学者に会いながら、その批判的な気持がいつも私の心の中に大きな根城《ねじろ》をしめているために、あるいはもっと早く悟《さと》りが開けたのかもしれなかったのに、その機会を逸したと思っているのであります。

人の言葉はつねに批判し、かつつねにそれを自分の観察と比較対照して、自分の是認したことだけを取入れ、承認しないものは受入れない。こういう態度が、むしろ文化人としての当然の態度ではないか、と考えていたものです。

何故かというと、自分の承認したもの以外は受入れないのですから、しかもそれが、当然の態度だと思っていたわけですから、アメリカやヨーロッパには、有名な学者というものは数多くいるかにみえるが、俺のような年若い青年の、人生に迷っている気持を、真に正しく救いうるほどの会得も認識もないのだな、とこういうふうに思ったのであります。

✤まず「相手を無邪気に受け入れる」

これは一つには、あとから考えてみると、自分の心の中に、非常に傲慢な自惚《うぬぼ》れがあることに、少しも気がつかなかった。そうです。傲慢な自惚れです。俺のいま考えていること、俺のいま知っていることは、非常に価値の高いことだと、こういうふうに思っていたから、どんなことを聞いても、ああ、そうですか、と無邪気に受入れる態度が、心の中に出来ていなかったのであります。

ところが、偶然の機会からインドに行きまして、インドへ行ったというと体裁がいいのですが、インドへ連れて行かれた。それも行きたくて行ったわけじゃありません。非常に憧れて行った旅でないのはもとより、インドへ行って、ヨガの哲学を研究するというようなことは、始めから知らされていない。偶然の行きずりに、カイロの宿屋で出会ったおたがい旅人同士の人から、

「とにかく、お前は、自分のすることだけはすべてしつくしたのに、病いがよくならない。同じ助からない病いなら、生れ故郷へ帰って死ぬのだと言っているが、私の眼にうつるお前は、まだ大事なことを一つだけ気がついていない。その大事なことに気がつけば、お前が自分自身の生命を見捨てたような、哀れな運命に自分を陥《おとしい》れることはないいんだ。とにかく、俺にくっついて来い。ほんとうに助かる道を教えてやる。」

と言われたんです。あれはなんというのですかな。あれほど強情、傲慢な私が、現代の言葉で言えば、人生意気に感ず、とでもいうのですかな。どこに連れて行かれるのやら、そうして連れて行かれたさきで、どんなことを私に教えてくれるのやら皆目《かいもく》わからないのにですね。簡単な言葉なんですよ。ユアー・ベター・ツー・フォロー・ミー。これだけ言っただけなんですよ。お前、俺にくっついて来いよ。

幸いそのとき、私の心持があなた方のように、あれこれと考える入念な観察や、いろいろと吟味する気持が出て来なかったことは、いま思い出しても宜《よ》かったと思うのですが、これがもし、あなた方だったら如何《どう》でしょう。どこの馬の骨か豚の骨の尻尾かわからない、始めて会って、しかも長い会話を取り交したあとならとにかく、さっと会ってぱっと言われたその刹那《せつな》です。

「お前はどこへ行くんだ。」

「俺は日本へ帰るんだよ。」

「お前は右の胸に重い病いを持っている。その病いを持ちながら故郷に帰るのは、墓場を掘りに行くんだな。」

「好んで行くのではない。あらゆることをやったのちに、自分の救われないことに気がついた。どうせ終るべき命なら、故郷の日本へ帰って終ろうと思って帰るところだよ。」

「お前は自分でやることだけはやったと言うが、どうかな。たった一つの大事なことをお前は気がついていない。それがわかればお前は助かるんだよ。だから、俺についていて来い。」

このとき、あなた方ならどうだろう。ご親切にありがとうございますが、失礼ですが、あなたはどういうおつもりで、重い病いで死に目に近くなっている私を、助けてくださる気におなりになったのですか。これはたいてい、誰でもが、心の中に出てくる質問でしょうね。

それから、次に出てくる質問は、これからどこへ連れて行くおつもりなんです。これももちろん、ききたいことですわね。

それから第三にききたいのは、いったい、どんな方法で私をお助けくださるんですか。この三つの質問は、そういう場合に誰でも心の中に湧いてくるでしょう。それを私はしなかったのであります。

なぜしなかったかという理由は、私は釈明する何ものも持たない。ただ、質問する気になれなかったから、しなかった。言下に私は、「サーテンリー。」と言ってしまったのです。なぜサーテンリー（＊「わかりました」）と言ったか、どうしてそんなことを言ったのか、あのときの私の気持というものは、私自身がわからない。思うに、その人の申出に対して、非常な感動を受けたに違いないのであります。

✣「お前の助かる道」を教えよう

血を分けた親兄弟でも気味悪がって、めったに近寄らないであろうような、病いのためにやつれ果てて、しかもその朝、大きな喀血《かっけつ》をしたばかりの午後なんですからね。恐らく顔面蒼白、生きている人間か死んでいる人間かわからないくらいの、やつれ方に違いなかった。そんな病人を連れて行ったら、いつ何時《なんどき》、くたばってしまうかわからない。これはもう素人《しろうと》眼にもはっきりわかることだ。その人間に、とにもかくにも俺について来い。お前の助かる道を教えてやる、という言葉を聞いたとき、形容の出来ない感動をうけたということは、嘘、偽《いつわ》りのない告白です。私はそう感じた。おそらく、そのときまでに、こんな大きな感動でショックを受けたことはない。私の魂が直ちにその私の心を表現して、サーテンリーと言ってしまったに違いないのです。

ですから、行く途中、約九十四、五日かかりました。エジプトからヒマラヤのカンチェンジュンガまで行くのに、アラビア海岸の著名な港に寄っては二、三日泊って行くんですからね。カラチから上って、曳《ひ》き船とラクダの背中で行くんですから、全部で三カ月以上もかかりました。

その間も、われわれの旅行の最後の目的地はどこなんです、ってきいたことはない。普通ならきくでしょう。こんなに日数をかけて、まだあなたの帰るべき目的地へ着かないのは、いったいどこなんですか、あなたのお国は、ときくのが当りまえですね。しかし、私はきかなかった。なぜきかなかったのかというと、きいたってなんにもならないと思ったからだ。知らないところに連れて行かれるのに、その知らないところの名前を聞かされて、どこがどこだか皆目《かいもく》わからないところをきいたって、ままよ、どうせ地球の上のどこかへ行くんだろうというわけで、その旅行中、まったく、なんにもきかなかった。

それがまた、相手には非常に気に入ったらしい。私の心の中には、希望が炎と燃えていたわけです。助けてやる。助かることを教えてやる、というんですからね。ぜんぜん生きる望みを持っていなかった私に、そういうことを伝えてくれた、この人の力を頼りにするのは、人間として当然だと思ったのです。

ところが、行ってから一カ月経っても二カ月経っても、教えようとはしてくれない。旅行中は、君と僕で、自由に話が出来たのですが、一度、彼氏の故郷の土地にはいってしまうと、主従以上、君臣以上の隔《へだ》たりが出来てしまったのであります。

そんなことはちっとも知らなかった。相手はその村落で最高の地位を持っているブラマン族であります。私は村落の最下級のスードラというものなんです。スードラというのは、インドの言葉で言うと、奴隷ですよ。奴隷でなければ、その村落にはいって行かれないんですから。

この最高の地位を持つブラマン族と、最下級のスードラとの間に、なんと三つのセクションがあって、それが、非常に厳密な階級で差別されている。ブラマン族のすぐ下が王族であります。普通の社会では王族が一番上ですが、そこの村落だけは、ブラマン族が神の族といって、王族以上のものとされていた。王族の下に、クシャトリアというのがいる。普通の民族のことであります。そしてその下に奴隷がいるのかと思うと、そうじゃなくて、こんどは馬や羊や豚や犬という、家畜なんであります。

まかり間違っても、インドへ行って生活するものではない。インドへ行って生活するなら、ブラマン族で生活するならいいが、いきなり、すっとはいって行くと、奴隷族に入れられて、犬や猫よりも階級が下だ。われわれの家庭で、どんなに犬や猫を可愛いがる人でも、使っている女中や下男を犬や猫の下には置かないでしょう。下に置いたらいてくれませんよ。「おくさん。ご飯を頂戴します。」「ちょっとお待ちなさい。猫が食べてからね。」ということになったらね。

それが、インドでは平気で通用するんです。平気で通用するどころか、第一、豚や犬や羊や牛よりもさきに、奴隷が食事をしたら大変なことになっちまう。そういう、非常な差別のあるところに、ぽかんとぶち込まれたんですよ。顔を見ても、口をきくことが出来ない。顔を見たら、はっと地面に頭をつける。昔の公方《くぼう》さまに、町の町人が出会ったときと同じでしょうな。

✣人生の真理を教わる「準備」

こんな筈じゃなかったんだけど、いったいどうなるんだ。来る日も来る日も、今日教えてくれるか、明日教えてくれるかと、とうとう二カ月も過ぎようというときに、あの野郎、こんなくだらないところに連れて来て、何をやる気なんだ。ぼうっとした毎日で、何にも教えてくれない。教えてくれないくらいなら、こんなところにいる必要はない。今日はひとつ、追い出される覚悟で直接談判だ、とばかりで躍《おど》り出た。

毎朝、必ず廊下を通って、哲学を研究している若い人たちに、日本でいえば朝のお早ようという挨拶を受けるために、十人くらいの従者をつれて行く。われわれは屋根の下にはいる資格はないんですから、庭から姿を見ているんですが、その朝は胸に一物《いちもつ》あるから、ちょうど私の前に来たときに、ぱあっと立った。そうしたら、顔を見てにこっと笑うじゃないですか。

しめた、と思って、

「お尋《たず》ねしたいことがあるんですが、」

「何だ。」

「カイロでおっしゃったお話は、いつごろからうかがえるんでしょう。」

「カイロで何と言ったっけな、」

「えっ、お前はまだ救われる人間だ。だが、自分が助かる大事なことを一つ忘れている。それを教えてやるから、ついて来い。そのお言葉で、私はここまでついて来たのです。」

「ああ、あれか。あれなら覚えているよ。」

「いつごろから教えていただけるんでしょう。」

「私の方は、ここへ着いた翌日からでも教えたいと、その準備が出来ていた。」

「えっ、私はまた、ここへ着いた翌日から、教わりたい準備が出来てたんですよ。」

「いや、違う。準備が出来たのは、私の方だけだ。毎日毎日、お前の顔を見て、顔を見るたびに、まだ準備してないな、と思うので、いったい、この男は、いつになったらほんとうに教わる気になるのかな、と思ってな。私の方から、それを催促したかったんだよ。」

「これはしたり。全然、話が違います。私は来た日から教わりたくて、教わりたくて、」

「お前はね、気持をそういうふうに偽って言うが、私の霊感にうつるところは、お前はまだ、ほんとうに教わる準備が出来ていない、と見るよ。」

「いや、その準備は出来ています。」

「ああ、お前は強情だな。お前自身の心の中は、お前自身より、私の方がよけい知っている。その証拠は、すぐ見せてやる。あの水を飲む器に、水をいっぱい注いでおいで。」

✣頭を「空」にしてみる！

日本にはないのですが、コーヒー茶碗の両方に手のついたような、大きな、丼くらいの大きさの水飲みがあるのです。非常に空気が乾燥していますから、夏のどんな暑いときでも、汗の出ない国であります。アメリカがそうですわな。夏、汗が出ないというのは、何となく、こう、日本人は経験しないので、妙な気持になるもんですが、いたるところに、ちょうどいまの魔法壜《びん》みたいに、素焼きの、二重になった丼が置いてある。どんな暑いときでも、その丼の中の水だけは、冷っこい水なんです。

言われるままに、その丼のようなコップにいっぱい水を注いで、それを持って来た。すると、また、こんどは、

「湯をいっぱい持って来い。」

それでまた言われるままに水をそこに置いて、また湯を持って来たら、

「その湯を水の上から注げ。」

あんまり馬鹿馬鹿しいことなんで、私はこう言ったんですよ。

「このお国ではどういうふうに考えてるかしりませんが、文明の民族は、いっぱいはいっている水の上から湯を注ぎますと、両方ともこぼれる、ということを知っております。」

と言ってやった。癪《しゃく》にさわったからね。これが、私の悪い癖なんだ。

なぜ、悪い癖かというと、俺は文明の国民だと、しょっちゅう腹の中で思っているんだな。こんな草深い、どこまで行っても家一軒もないようなところで、たいていの奴は裸足で、裸で往来へ寝そべっているような人間ばかりじゃないか。こいつらめ、ほんとうに犬や猿と同じくらいの人間じゃないか、と思っている気持があるから、たとえどんな、相手が偉いと思う人にでも、つい、こんな、いま言ったような皮肉なことを言っちまうんです。そしたらね。

「それを知ってるのか。」

と言やァがる。

「存じておりますよ。」

「それがわかったら、さっき俺がお前に言った言葉はわかる筈だ。」

「さっき私が言ったこととこれとは違うでしょう。」

「違わないね。同じことだ。」

「私は同じことだということを、どうしても了解出来ません。」

「そうかい。それほどまでにお前の頭の中が愚かしいとは思わなかった。」

と言うんです。なんだ。こっちは文明民族なのに、野蛮人から冷やかされていると思ったから、言いました。

「その理由をうけたまわらせていただきましょう。」

「聞かせよう。私が毎日毎日、お前をつれて来た翌日からでも教えたいと思って、お前をじっと見ていると、お前の頭の中はな、私がどんないいことを言って見ても、そいつをみんな、こぼしちまう。さっきの、水のいっぱいはいっているコップと同じような、そういう状態だと見ているんだ。いつになったら、この水をあけて来るかな。水をあけて来さえすれば、そのあとで湯を注ぎ込んでやれば、湯がいっぱいになるんだがな、と思っているんだが、いっこう、水をあけて来ない。お前の頭の中には、いままでの役にも立たない屁理屈がいっぱい詰っている以上、いくら俺が尊いことを言ってみても、それをお前は無条件に受け取れるか。受け取れないものを与える。そんな愚かなことは、俺はしないよ。わかったかい？」

ああ、なるほど、こいつは一本参った、と思った。私という男は、まことにそうなんだ。二カ月前、ここへ始めて来たときに誰かが、「お前はこれから教わるんだ。頭の中をからっぽにして置けよ。」と言ってくれればよかったんです。とにかく私は、心の中から、ああ、そうか、と思った。そしたら、にこっと笑ってね。

「よし、わかったようだな。今夜から俺のところへ来い。生れ立ての赤ん坊のようになって来いよ。」

✣心と体を一つにすれば、人は病いにならない！

いい言葉ですよね。あの二カ月は無駄にしたようだが、じつは無駄ではなかった。

そして、残る二年あまり、これからあなた方のお耳に入れるようなことがらを、一番大切な、根本的なことを教わったのですから。それは何だというと、人間というものがこの世の中に生きてゆくのに、何をおいても、心と体を別々に考えたら駄目だぞ。文明民族の一番悲しいミステークは、生命を考えるときに、いつでも体のことばかりを考えている。体のことさえ考えていれば、人間というものは、満足な人生を生きられる、というような、その大きな粗忽《そこつ》を、すこしも粗忽でない、真理であるかのように思い違いしているところに、文明民族の不幸があるんだ。

考えて見ろ。厳密な意味からいっても、文化に遅れている野蛮民族の方が、人生すべて価値なく生きてる筈じゃないか。ところが、反対に、人生に生きる場合に一番大事な健康のごときは、ぜんぜん、頼もしからざる状態に生きてる奴の方が多いじゃないか。この俺たちの生きてる村落に、文明人の病むような、そんな病いをもってる奴が一人でもいるか。

しかも文明人とは違って、文明人の考えている衛生思想からほど遠い生活をしながら、雨に打たれ、露に打たれ、夜は裸でもって地面の上に寝ていて、しかも彼らは、完全な強健さを発揮しているではないか。文明人のように、寒ければ寒いで、暑ければ暑いで、ちゃんと自分の体を保護する設備をしていながら、のべつ風邪をひいたり、のべつ腹をくだしたりしていないじゃないか。

それ以上にまた、人生を生きる場合に、しじゅう自分のおさえがたい欲望のために、自分自身が苦しんできているということは、この土地の人間にはないぞ。その大きな隔たりが、どこにあるか、考えて見ろ。彼らの多くは、すぐ眼に見える物質だけを、人生を解決し得るものであるかのように考えて、肝心かなめの心というものを、いつもないがしろにしている。それがために、当然、心と体を一つにまとめるという大事なことに気がつかない、というより、むしろ、まったく、忘れている。そこに第一番にお前は気がつかなければ駄目だ。それがお前の忘れている大事なことだ。

なるほど。しかし、いままでまんざらいっぺんも聞かない話ではないのであります。バイブルにも経典にも、またマホメットの作った回教のコーランにも、言葉の言いまわしは違っておりまするけれども、人間が人生に生きるのに忘れてならないことは、その生命を考える場合に、心と体を別々に考えてはいけない、というのは、そのどれにも出ています。

しかし経典やバイブルを読んだとき、いまインドで教わったときのような、強い衝撃は受けなかった。ただ、眼に見たままで読み過ぎてしまった、というだけのことであったから、それほど深く感動したわけではない。その同じ事柄が、あらためて、「お前の病いが、文明民族の人の病いを治す医学というものでは治らないのは、そこに理由がある。どんな医学をもってきても、生命を正しく扱わないものは、その生命を護ってゆく力がないぞ。」と言われたとき、愕然としたのです。

2章

「別人のような強い心になる」心身統一法

④ 生命の基本「宇宙エネルギー」を受け入れよう

✣「デル・ナツール・ヘルトリープ」のすごい力

あなた方。朝、眼がさめるのは当りまえだと思っているね。それが当りまえでない証拠に、いつか時が来れば、どうしても眼のさめない朝が来る。それは、あっちへ行っちまうことになるんですよ。よく考えなさいよ。あなた方が夜ねて、朝おきるまでは、何にも知らない筈だ。たとえ、夢見がちであるにせよ、昼間、こうやって起きているときのような、こんな明瞭な意識では生きていません。生きていませんという言葉は、死んではいない、ということです。ただ、ぼうっと、何にも知らずに生きている。

どんなによく寝ているときでも、ものを知ってる人は手をあげてごらん。そいつは化け物だ。それは、誰かあらず、人かあらず、眠いな、と思った瞬間はいつか過ぎて、パッと眼があいたら朝だった。その間、あなた方は死んでいない。生きている。どんな器用な奴でも、寝ると同時に死んじゃって、朝、眼がさめると生き返る、という奴はいない。寝ている間も生きている。

その証拠に、寝ている奴を見てごらん。生きている証拠の、いちばんシンボリズムである呼吸をしています。どんな無精《ぶしょう》な奴でも、こん畜生、よく寝ているな。息していねェや、というものはいないです。それから、心臓が動いている。手をやって見ると、すぐわかる。

その、何も知らないでいて、自分で自分の生命をまもるという意識、感覚のないときに、生きているその命は、あれは何の力でしょう。考えたことがあるかな。これがないんですよ。すくなくとも、私は考えたことがなかった。しかも医学を研究し、アメリカにまで行って医学を学びながら、そいつは考えなかった。この力を、ドイツ語で、デル・ナッツール・ヘルトリープと言うのであります。

お医者さん。よくご存じですな。お医者さんはすぐわかるよ。この言葉を言うと、頷《うなず》いているものね。デル・ナッツール・ヘルトリープ。英語のナチュラル・ヒィーリング・パワー（＊自然治癒力）。それがわれわれの生命の、生きている間は守り神として、われわれを現実の世界に生かしてくれている。

心と体を別々にすると、これを受け入れる受け入れ量が、完全に用意されないことになっちまうんですよ。こいつに気がつかなかった。偉そうな顔をしやァがって、しかもひょんなことでアメリカのコロンビア大学を、華僑の留学生の身代わりで多くのアメリカ人を尻目にかけて首席で卒業して、医者の免状をとってやったと、こいつが頭にあるものだから、それ以外のことは考えないで、俺くらい偉い奴はない、と思った。この馬鹿め。そうして、いま言った人間の生き方なんか、ぜんぜん考えない。

おまけに、自分の病いを治すものは、栄養とか、薬とか、自分の持っている乏しい知識で、ほんとうはまことに乏しい知識ですが、乏しいとおもっていない。傲慢な自惚《うぬぼ》れがありますから、文化民族の研究によってなし尽されたところの、昔の人間が真理と考えたところの、よいとされているところの医学をもって、治療して治らないんだから、俺は治らない。そう思っていた。あわて者以上の愚か者であった。治らない筈ですよ。自分の命を支える、ほんとうの、バックボーンともいうべき、この、デル・ナツール・ヘルトリープという、この力を、水をいっぱい汲み入れておいて、穴のあいた手桶でもって持って来たら、穴からみんな漏れ出たと同じような粗忽《そこつ》を、粗忽と思わずにやっていた。

この言葉は、ただ単に、私の告白として聞いていたら、値打がなくなるぜ。あなた方のお仲間にも、ずいぶんいるぜ、そういう者が。

いままでにずいぶんと、いろいろな手当をした。医者にもかかった。薬も飲んだ。注射もした。さらにまた、健康法もやった。宗教の信仰もやった。けれども、いっこうに思うように丈夫になれない、という人は、桶の底に穴があいているんだよ。つまり、この、生命を支える宇宙エネルギーを、受け入れる受け入れ態勢が、完全に用意されていないからであります。

✧この「宇宙エネルギー」こそ神であり仏だ！

生きとし生けるすべての生物は、蚤や、ばったや、こおろぎや、あめん坊にいたるまでも、みな、生命エネルギーを持っているし、生きている。その生命エネルギーは、自分自身で作ったものではありません。宇宙エネルギーから、分与されたものである。

その宇宙エネルギーとは、いったい何でしょう。現代のように、科学のまだ進歩しなかった時代の人間は、宇宙エネルギーの本質を摑《つか》むに由なし。知識がそこまでないのですから、ただ、宇宙エネルギーの不思議な現象だけを見て、これに、やにわに、神、あるいは仏と名をつけてしまった。

もっとも、名をつけるということは、観点の違う、立場の相違から来る考え方ですから、名をつけたことについては、粗忽《そこつ》とは言えないが、いまだ、文明の供与されなかった、きわめてこういう方面の神秘に対して無知な時代の人間は、神、仏と考えても、決して間違ってはいなかった。これは、単に名称なのですから、人間のことは、人といってもよかろう。あるいはヒューマンといってもいい、というふうに、名のつけ方はどうつけてもいいけれども、神、仏に、何か人間と同じような格好をしたものが一人いて、それが、人類のなし能《あた》わざる、すべての不思議な計画を実行に移していると、こう思ったところに、大変な、ミス以上のネグレクト（＊無視すること）があるわけですね。

ところが、情けない。現代の文化民族の中にも、若い世代にもそんなあわて者はいないでしょうが、というと、何か、非常に、年とった人たちを軽蔑するようでおそれいりますが、これは軽蔑しているんじゃない。ほんとうのことを言うんだけれども、五十を過ぎた人のお仲間には、まだ、何か、神とか仏とかいうものが別にいて、人間みたいな恰好したものが別にいて、何か、こう、人間の考え切れない、割り切れない、不思議をおこなっているというふうに思っている。時代おくれ以上の、野蛮人の抜け殻みたいなのが、このお集りの中にもいやしないか。

そう言うと、そういう言い方に対して、彼奴《かやつ》は信仰心がないとか、彼奴は宗教心がないとかいう言葉でもって、批評する、きわめて哀れな、脳味噌のない、文字どおり、ノー、ミソの奴がいやしないか。お集りの中では、変なことを自慢するようだけれども、年輩からいって、戸籍のですよ、精神年齢じゃないですよ、肉体の戸籍年齢から言って、私が一番先輩の筈だ。(先生はこのとき満八十八歳であった。)それとも、私より以上に年とった人がいたら、手をあげてくれ。手なんかあげなくてもいいんだ。そんなものはどうでもいいんだ。そんなものは当てにはしないよ。明治九年以前に生れた人間なんか、いまからどうしてくれと言ったって、どうにもならないじゃないか。そういうものは、気長にお迎えの来るのを待って、さっさとあっちへ行ってしまう方がいいんだ。

しかし、とにかく考えてくれ。いちばん戸籍の上で先輩の私が、あなた方の考えているような神とか仏とかは考えていないんだから。そんなものは、この世にありはしませんよ。あったら見せてくれ。たったいま、ここへ連れて来てくれ。われわれは科学文化の民族ですよ。迷信や、自分の頭の中で割り切れないことを、尊いとか、有難いとか思っているような、そんな観念の遊戯で人生を生きてるような、とぼけた人間ではない。あくまで真理を探求し、真理を人生のロイヤルロード（＊王道）として生きなければならない。

✣力の源は、じつは「ガス体」にあった！

考えて見てください。どんな精密な設計のもとに、驚くべき高速力をあげるような機関車を発明しても、ですよ。この重量ポンドに比例する耐重レールというものが、そこに敷かれてない限りは、この機関車の性能を発揮することは出来ないでしょう。田圃《たんぼ》の中へ持って行ってまわしてごらんなさい。第一まわりゃしないから。それと同じような厳密な条件というものが、人間の生命にもある筈だ。よし、万物の霊長という、その万物の霊長としての資格を発揮する、そこに、どうしても条件というものが必要だということを、考えなければならない。それでは、第一番に、われわれの生きている、いま言ったデル・ナツール・ヘルトリープという、いちばん根本的なエネルギーというものが、いったい、何であるかということを突きつめてゆきましょう。すると、いままでのあなた方が考えた、神だ、仏だというものを考える場合の考え方が、あまりにも抽象的で、無価値であったことがわかるから。

つまり、あなた方が、何だかわけがわからないまま、もったいないものと考えている、神だ仏だという名称で呼んでいるものが、借りものであることを私は教えてあげる。もっとも、教えてあげるといっても、私が発見したわけではない。発見者は、いまを去ること、ちょうど五十一年前、ドイツのプランク博士がこれを発見したのですが、それまでのお互いの学生時代は、お互いというのは、私のことですよ。あなた方じゃない。われわれの青春時代の頭の中には、このプランク博士が新しい発見をするまでは、宇宙エネルギーの一番の根本主体は、エーテルという言葉で教わった。あなた方も知っているだろう。エーテルとは何かというと、説明できない。とにかくエーテルじゃ。そのエーテルに対して、ドイツのプランク博士は、この宇宙を表す基礎定数、プランク定数hを発見したのです。

英語でいうとつまりプランク・コンスタント。なに、わからない。じゃ、日本語で言いましょう。永久にこの世から、何物が姿を消す場合があろうとも、このものだけは姿を消さないガス体。

神や仏と口では言っても、見えない筈ですよ。ガス体だ。そのガス体を、神や仏と言ってたわけです。考えてみると昔の人間は、無邪気なような、馬鹿のような、阿呆のような、間抜けのようなところがあったわけですね。煙のような、煙ならまだ見えらァ。ガス体じゃァ見えないもの。これがありとあらゆるすべての、不可思議の根本主体なのであります。

⑤ 私の「心身統一法」の根本にあるもの

✣「地球の根っこ」につながる

名月の一夜、おもてに出て、天空はるかに眼を放って見ると、何ともいえない神秘感に打たれる。あの大空を見ていると、どこが果てか、果てしが分らないんですが、弧を描くあの大空の、さなきだに爛々《らんらん》ときらめく星のかずかず、皓々《こうこう》と三千世界にほくそ笑みかけて隈《くま》なく照らす月を見たとき、どんな蒙昧《もうまい》、頑固な奴でも、何てこの、大宇宙てェところは、これァ、まァ、広い世界だわな。どこが果てやら果てしやら、まったく極《きわま》りない無限際。

おまけに春が来、夏が来、秋が来、冬が来て、気候の変り目に、現象のすべてが変るそのうえに、毎日は夜が来て、朝が来て、昼が来て、夜が来て、また朝が来て、昼が来る。水が冷たく、湯が熱く、冬が寒くて夏が暑い。春になると、いままで枝ばかりだった木に、青い葉が出て来て、「染め出だす、人はなけれど春来れば、柳は緑、花は紅。」ああ、不思議だな。それがすべてガス体がエネルギーに変化して現れた、現象事実だということがわからなかった時代には、まったく何かというと、神さま、仏さまとなったわけです。

二百余年前の大詩人のゲーテは哲学者でしたが、こいつは考えられなかったらしい。彼の有名な詩に、こういう一節があるのを誰でも知っているだろう。

「潺々《せんせん》として流れ尽きざるナイルの河畔、夢むらさきとゆたけきナイルのほとり、黙然《もくねん》として立つ彼のスフィンクスの彫像が、問えど答えぬ限りは、神なるものは永遠の謎であろう。」うまく逃げたね、ゲーテ。スフィンクスは私も見ました、エジプトで。ところがあれ、誰がどの時代に建てたものやら、誰も知らない。

西暦千六百、たしか、十年からでしたな。イタリアの人が三代かかって、あの根元を掘ってみたという。親から子から孫へ。そうして、結局、根元がわからない。三代目の孫の人が六十になったとき、何でも二十のとき掘りだしたというんだから、四十年掘ったんだ。気の長《な》げェ奴もいるもんだ。「おそらく、スフィンクスというのは、地球の根っこから生えているんだろう。」ということになって、やめちゃった。そのスフィンクスに、お前はいったいぜんたいいつの時代に、誰が建てたんだということをきいてみても、俺かい、俺はこれこれしかじかと、スフィンクスの答えるのを聞かないかぎりは、神さまというものはわかりゃしねェだろう、という、彼一流の名文でもって、ゲーテは表現していますけれども、それが二百年と経たない、百五十年くらい経ったころに、同じお国のプランク博士によって、何じゃい、一切合財がガス体だ、ということがわかった。

✣「体力・胆力・精力・能力・判断力・断行力」が俄然高まる！

このガス体が力の状態になると、これをヴリルという。ヴリルが人間の生命の中に受け入れられると、バイオエレクトリシティ。お医者さん。学校へ行ってたときのことを思い出しな。これが人間の生命の中に活動を始めると、さっき言ったデル・ナツール・ヘルトリープになる。この受け入れ量が増えれば増えるほど、人間の体力はもちろん、胆力も判断力も断行力も精力も能力も、受け入れ量が俄然、増えてくるのであります。受け入れ量を完全にするには、どこまでも心身統一をおろそかにしちゃ、桶の底に穴をあけたと同じ結果になる。

いわれ因縁を聞いてみると、思い当るかずかずがありゃしませんか、あなた方。とくに、随分といい医者にもかかり、高価な薬ものんでいながら、いっこうに病いが治らなかったという原因は、これでわかるじゃないか。いや、もっと手近な話がさ、われわれの子供時代にはいっこうにわからなかった問題の一つとして、鶏と卵とどっちが先に出来たんだ、ということだ。よく子供同士でもって、「やい、鶏と卵とどっちが先に出来たんだ。」ぐっと参っちゃったものです。

もう、こんにち、人工衛星が飛んで、ミサイルが出来て、そういう方面を考えなくても、原爆や水爆を考えると、万物みな、ガス体が元だということがわかるね。

ウラン二三五やプルトニウムを燃やしてやると、驚くべき爆発力が出る。原爆というものが出来る。さらにそれに、重水素と三重水素（トリチウム）を核融合のエネルギーとして包んでやると、それがいわゆる水爆ですわね。これは中学生の知っていることで、おっさん、おばさんはご存じない。

ウラン二三五やプルトニウムを燃やして、重水素と三重水素を爆発させると、いっぺんの爆発力が、地球の四分の一を破壊するというくらいおそろしい、あのビキニ型放射性水爆が出来る。みな、これ、水爆のエネルギー源というのは、ガス体がもとになったものです。鶏が先に出来たか、卵が先に出来たか、そんな詮索をするのは、こけの頭だ。ガス体がいちばん先だ。すべてのものを生み出した根本のものは、この、気であります。人間とても、そのとおりよ。耶蘇《やそ》の旧約聖書に、人間の出来た始めは、「始めに神ありき。」こいつがすでに眉唾物《まゆつばもの》だ。「埴土《へなつち》まるめて、息三度吹きけるに、ありあまるところのあるもの生れけり。」クリスチャン。しっかりしてくれよ。ほんとうに、博多人形と人間、同じだもの。

埴土まるめて、息三度吹きけるに、ありあまるところのあるものが生れた、と言うんだから、男だよ。男はありあまるところがあるだろう、一つ。それから、また、何と思ったか神様、これは私が言ったんじゃないよ。古いローマ教にある。神様が、この埴土まるめて出来た、ありあまるところのあるものの、その肋《あばら》っ骨の三本目をとって、また、息三度吹きけるに、ありあまるところあらざるもの生れき、と言うんだから女だな。ありあまらざるところがあるだろう、何か。

ほんとうに、まだ、キリスト誕生の八百年までは、それをほんとうだと思ったんですから、人間進化の過程で、その過去においては、実に吹き出したいくらいのおかしなことを、本気で考えていた時代があった。ですから、神だ仏だといって、何か人間みたいな恰好をしたものがあったと思ったのは、無理はありませんよ。

✣「食って」「寝て」「垂れる」だけの人生からの脱却

だから、いまの人間の考えている常識も、いまの時代には間違っていないように考えているかも知れないが、これがもう、十万年も二十万年も経ったら、その時代の人間から見ると、いまの人間の頭の中の状態なんていうものは、野蛮も野蛮、大野蛮だろうと思うんだ。

野蛮といわれてもしようがないよ。ハイヒールはいて、頭をカールして、男もレディメードであろうと洋服を着て、紳士であるといばっていながら、テレビジョンがどうしていったい出来ているのやら、ミサイルがどうして飛ぶのやら、人工衛星がどうして空を飛ぶのやら、ちっとも知らねェで、輦轂《れんこく》の下の帝都の市民だといって、肩で風を切って歩いてやァがるんだ。そんなこと言いたかァないけれど、ここにもいやしないかと思うんだ。

このあいだ、大阪でね。トランジスターというものの根本要素になっているものを、知ってるものは手を上げて、と言ったら、二人しかいなかった。聞いたら、トランジスター屋よ。

これは皮肉な意地悪で言ってるんじゃないんですが、あなた方。たいていの人は、こういう方面のことは考えないで、その日その日のことを、ただ、夜があけたから眼がさめて、腹がへったからものを食って、糞しょんべんを垂れるだけ。夜になったら眠いから寝ちゃって、また朝起きて、食って垂れて、寝て起きて、毎日食って垂れている。

そして、毎日、ああもしたい、こうもしたいと欲望を炎と燃やして、どうにもならない。寝ちゃァ起きちゃァ、食っちゃァ垂れちゃァ、何年か経ったらフウーッと消えちまうという人生を、生きてる人が多かった。

確かにあなた方もそのお仲間だったのが、こんにち今夜からその仲間から離反して、新しい真理の国にはいられる。まったくご幸福ですよ。町へ出てごらん。いま聞いただけのこと知ってる奴は一人もいやしない。偉そうな理屈言ってる奴をとっつかまえてきいてごらん。

「人間、どうして生きているんでしょう。」

ぎゅっと参っちまうから。

⑥「体に奇跡を起こす」私の生き方

✣「命」を一口で説明すると——

さあ、そこで、これだけの理屈がわかったら、これからが難しいことなんですよ。これは簡単に、やさしく言っているんですよ。簡単にやさしく言っていることも、私の研究で十年以上もかかったコンサイス（＊簡明なる真理）なんです。だから、ここまでわかったら、その肝心かなめの心身統一をどうすればいいか、それを簡単にお耳にいれる前に、もうひとこと、言っておこう。

心身の統一は、これが必要だということは、さっきも言ったとおり、すでにキリスト、マホメット、釈迦が気づいたことではなくて、いま申し上げたように、野蛮も野蛮、大野蛮といっていい時代の、ローマ教あたりが、この世の中に、ぼつぼつ、宗教的な形態で現われだした時分から、わずかな人間でありますけれども、心ある学者によって唱《とな》えられた言葉なんです。

これは深く考えなくても、常識で考えてもわかることですわね。人間の命というものをじっと見ていれば、体ばっかりで生きているように思われたって、体のほかにもう一つ、形の見えない、不思議な形をもつ心があること。これを否定するものはいやしません。

「お前に心があると思うか、ないと思うか。」「いや、ないと思う。俺は見たことねェもの。」と言う人はない。

だから、命と一口に言っちまっても、これは心と体の総合体だとわかっていながら、わかっていればこそ、宗教にもそれが謳《うた》われているんだが、それがなんと、くどいようだけれども、人工衛星が飛んでいる現代でも、なおかつ学者が、いまあなた方がこれから耳にせられるようなことを、組織的に考えていないというのが、実際であります。

バイブルをお読みになっても、経文をお読みになっても、コーランをお読みになっても、心身の統一ということの必要性が書いてあります。書いてあるんだが、どうすればそれでは、心身の統一が出来るや、ということを、立派な論理組織で説いている人が、私の見聞するかぎりにおいては、誰ひとりとしていないのであります。

しかし、こういうことは、あるいはさっき私の申しあげたように、私の傲慢な自《うぬ》惚《ぼ》れかもしれない。もしも天風があなた方にこれからお耳にいれるような組織で、心身統一の可能性を説いている人が、もしもこの地球上に、日本とはいわない、地球の上にいままでの今日までに一人でもいるようなことを、確実にご存じなら、お知らせを願いたいのであります。

私はどんな要求にでも応じるね。というのは、軽率にも言える言葉じゃありませんぜ。これだけ多くの人を証人として私は申しあげている。いままで私は、私の、天風会の総財産を差し上げると言った。それより以上のものを差し上げます。何でもご要求に応じますよ。ただし、それは、西暦一九六五年の四月十九日の午後七時七分までよ。これからのちの世界のことは言明出来ませんよ。どんな偉い奴が飛び出すかわからねェ。

✧突然「明るい世界」へ！

また、この私みたいに、一生を人の世のために棒にふって、こういう研究をするものも現われないともかぎらない。とにかく、世間にないものを、いままさに聞こうとせられるこの幸福というのが、聞けばわけないことです。わからない間は五里霧中。そのわからなかったことも、三段論法的な理解でわからせられると、わからなかった世界から突然明るい世界に出たせつな、困難だとわかったことが困難ではなくなります。

しかし、そのときは、戒むべき大きな問題は、労せずして得たものは失い易《やす》い、ということであります。私のように、長年のあいだ、自分の病苦と闘いながら、世界の三分の二を遍歴して、こういうことを研究して歩いたという苦心を経験したものは、わずかなものでも自分の知識の中にはいったものを、非常に価値高く考えますけれども、フワーッと昨晩ここに来て、フワーッと来たのではないにしても、来ていきなり二日目か三日目にこういう話を聞かされると、ものの尊さを正しく認識することが出来ない。豚に真珠を与えたと同じ現象事実が出来る。豚でなくたって鶏でもいい。犬でもいい。真珠でもダイヤモンドでもやってごらん。どんなに飼い馴らされたセパードでも、奥さんが惜し気もなく二カラットくらいの指環をやったとしても、「ああ、有難い、これ、さっそく質屋へ持って行って食い物に代えよう。」なんて言わないから。

聞かないうちが楽しみだ。聞いてしまえば、なんだ、そんなこって、心身統一が出来るのかい、と思うようなやさしいことなんだ。それを私は十年以上もかかって考え出した。

こういうと、「そうだろうな。きのうからじっとお前の顔を見ていると、あれ、大人の頭かい、と思うほど、お前の頭は小さいな。あの中に人間の普通の知恵、分別があるのかと思って不思議に思ったんだが、お前なら十年以上もかかるだろう。

俺なら二日目にわかっちまわァ」と言うだろう。あなた方は聞いてわかる。聞いてわからなかったら、大べらぼうよ。

それでは、心身統一に対するファンデーション（＊基礎）を申しあげよう。これがわからないと、心身統一というものが正しくある、スタティック（＊静的）なので組立てられない。ここで、まず第一番に考えなければならないことは、われわれの命というものは、肉体生命であろうと精神生命であろうと、そういう言葉で表現しなければならないのが、現代の人々にとっては気の毒なことだと思う。これで、いまに百年も経ったら、われわれの生命は、という言葉と同時に、その生命の中に精神生命と肉体生命とがあることを、無意識的に、パッと感じるでしょうけれども、いまの人々には特別に、肉体生命であれ、精神生命であれ、と蛇足《だそく》を加えないと、正しい理解がゆかない。

いずれにしても、その生命に対してわれわれが考えなければならない、おろそかに出来ない認識というものは、生存に対する条件と、生活に対する条件と、この二つのものがあるということです。

そこで、どっちが大切かというと、生存に対する条件の方を正しく実行に移さないと、生活に対する条件は相対的なものであって、絶対的なものではないのであります。これが、あなた方にはあべこべに考えられている。生活に対する条件の方が絶対的で、生存に対する条件の方が相対的だという考え方が、ほとんどたいていの人の頭の中に常識となっている。これが、人生というものを正しくキャッチすることの出来ない、盲点なんです。

そこで、精神生命に対しても、肉体生命に対しても、生存も生活も、条件というものは一つの規格をもっている。その規格は何だというと、生存に対する条件は、それが精神生命であろうと肉体生命であろうと、どんな事情があっても、自然法則に順応せしめなければならないのであります。肉体生命だから自然法則に順応せしめ、精神生命だから自然法則に順応せしめないでもいい、というわけにはいかない。なぜかならば、自然界に生じたものは、どんなものであろうと、自然物であります。よし、われわれが万物の霊長たる人間でありましても、自然物なんであります。従って、自然界に生れたものは、そこに峻厳《しゅんげん》侵すべからざる法則がある。その法則にあくまでも順応しないかぎりは、その生存を確保することは出来ないのでありま す。国に法律がある。侵せば必ず、身分のいかんを問わず罰せられる。人間同士の作った一つの法律と名づけられるものでさえ、そこに、そういうコンベンセーション(つぐない)がある。

✣どんな場合も「尊く・強く・正しい」生き方

これはどういうことか。肉体生命の生存に対する自然法則に順応するということは、どういうことかということから先に言って置こう。やさしいでしょう、聞いていて。やさしく説明することに、私は十年かかったのだ。だから、阿呆な奴だと思いながら、聞きなさい。

生存に対する精神生命の、自然法則に順応するという状態は、終始一貫、いかなる場合があろうとも、その精神の生存状態を積極的であらしめねばならないのであります。そして、この積極的というのはどういうことかというと、どんな場合にも、尊く強く正しく清く生きることなんであります。

その反対が消極的という。そう言ってもわからなかったら、あなた方が生きている、おおむね、多くの場合の心の状態が、あなた方の毎日の人生に生きる場合の、心の生存の態度じゃァないですか。

そんな怒った顔をして睨《にら》めたって駄目ですよ。私は四十何年間、毎晩こういうところに立って、パッと一目見ると、ああ、いまこの人間、何を考えているかということがわかるくらいの能力をもっているんだからね。

私だけはこうだ。清くて強くて正しいという顔したって駄目だ。顔つきだけそうしているだけの話なんだから。

それともあれですか。私が言い過ぎだったかな。天風さん、あんまり威張りなさんな。あなた自分で傲慢な自惚《うぬぼ》れだと言っているのが、鼻のさきに出ているぜ。私なんか毎日毎日、自分の心の状態にひざまずきたくなるようなことばかりだと言いたかろうけれどもね。いままでに一ぺんもそういうことはないでしょう。あとから後悔することばかり。あのときは何も、ああまで怒ることはなかったんだ、とか、あのときはもう少し親切にしてやればよかったとか、あとから考えている。

✣「肉体の老化」にブレーキをかける

さて、私ごとはさておき、さらに肉体の生存に対する自然法則に順応するとは、どういうことをするのかというと、生命存在の条件に調和する、これを怠ってはならない。あなた方がご存じないだけで、生命には生存条件というものがあるんだ。それにちゃんと調和して生きてゆきさえすれば、どんなことがあろうとも、寿命の来るまでは、自分でもびっくりするような強健さで生きていかれるのだ。

それから、生活に対する可能率を促進するところの精神生命は、これはたいていの人が知っているでしょう。コンセントレーション。日本語で言えば、いかなる場合にも精神を統一して生活する。これが精神生活に対する侵すべからざる根本条件です。

肉体生活の方は、これはまた、多くの人の気のついていないところですが、どんな場合にも、つねに訓練的に積極化する。これがあべこべになっちゃってるんだ、いまの世の中の人は。とくに訓練的に積極化する必要に迫られているのは、四十を過ぎてからです。

いまの人は、若い中だけが訓練的に積極化するときだと思っている。若いときに訓練的に積極化することは、その余りの余力をもって、四十を越したのちの生命にも、それをアピールして行くというつもりでもって、若いうちにうんと、肉体に対する訓練を与えておくのであります。

それが四十を越して、金も出来る、地位も出来る。いままで、自分のことは自分でしなければならなかったような身分の人間でも、今度は人を使ってからに、ぜいたくな生活が出来るようになるってェと、訓練的に積極化するどころか、非訓練的な、消極的な生活をおこなうことになる。横のものを縦にもしやァがらねェ。

それもですよ。人間も四十を越してから、多々ますます弁ずるていに肉体の生きる力が増加してくれるならともかくとして、どんなに金があろうと身分があろうと、四十を越すと細胞の、よろしいか、老化状態というものが発生して来るんだ。四十を一つのセクションとして、老いぼれだすんですよ。人によって速度は違うけれども、老いぼれだす。

何のために老いぼれだすのか、人生の最後のターミナルへ到着せんがためです。人生の最後のターミナルとは、帰りがけにこの裏へ廻ってごらんなさい。（この講演は、東京音羽の護国寺でおこなわれたものである。）ターミナル駅の印が立っている。あそこへ行くためには、四十を越すと毎日毎日、だんだんにこの細胞の萎縮が始まる。つまり、身体の細胞がだんだんに縮まるんだよ。夜店で買った風船に息を入れて、そのままにしておくと、十日、二十日たつうちにだんだんしなびちゃうだろう。ああいうふうになる。そんな情けない顔したって駄目だよ。これは女の人が一番よく知っているわね。十八、十九、二十くらいのときには、われながら艶っぽい顔だと思った奴が、三十ともなると目尻に一本。四十ともなると、五、六本、五十ともなると、もう勘定できない。

そこでだ。どうしても行かずんばあるべからざるターミナルだ。行くべく余儀なくされているところの、この老化趨勢《すうせい》にブレーキをかける。これが訓練的積極化です。坂を転がる玉を、転がるままに転がすと、落下速力がついて、どんどん勢いよく転がって行く。その落下の勢いに対するブレーキを与えることは、二度と再び生れ出て来られない人生を、出来るだけ長生きさせる計画の、いちばん端的な考え方ではないのか。これが多くの人に怠られていやしませんか。

✣毎日「五百回の足踏み」

もう四十を越して贅沢が出来るようになるってェと、肉体の生活が自堕落な、わがままな、放縦な、非訓練的な消極的なものになる。その人の人生の状態にもよるけれども、すこし早い奴は、四十、五十あたりで神経痛が出て来たり、腰が痛んで来たり、頭がぼんやりして来たり、起居に何となく骨が折れて、どっこいしょのしょ、と言わなければ立てなかったり、坐れなかったり、自分の生命の、とくに肉体生命が勢いある状態で現在生きているかいないかは、自分自身が知っている。

しかもこれは、年齢のせいだというような、惨めなことを言うなかれ。訓練的に積極化する気持になってごらん。われながら怪しむばかりの強さが、どんどん出て来るから。たとえば、ちょいと両足でもって駆け出すことですら、毎日毎日、僅かでも駆けることを怠らずにやっていると、幾つになっても駆け足しても、息も切れなきゃ心臓も踊らない。古い会員にきいてごらん。私は二里駆けても三里駆けても平気だから。

そうかといって、私は生れながらの郵便配達でもなければ、車ひきでもないんだ。それじゃ、毎日毎日駆けてるのかというと、そうではありません。毎日、足ぶみしている。朝起きてからすくなくとも五百回くらいは、オッチニ、オッチニとやっています。

面倒くさいと思ったら、生きてるのをやめっちまう方がいいんだ。どうせ人間生きているうちは、何かしなければならないとしたら、自分の体のためになることをした方がいいだろう。足ぶみするだけでも、その結果が足の耐久力になる。いわんや、まして、いろいろと訓練的に積極化する方法があるのを、多くの人が気づいていないだけだ。それを私が教えてあげる。

私の体は胸に大きな穴が二つあいている。満足な体じゃないんでありますす。その大きな二つの穴のあいている体が、どこかから、病み呆けてでもいるように見えますか。体重は十七貫五百あります。自分自身でも、何にもわずらっているような気がしない。

しかも医者からみるってェと、ヒビのはいったコップであります。ヒビのはいったコップは、ポーンと叩けば割れちまう。それと同じように、胸に大きな穴のあいている肺をもっている人間に、一番さわるのはでかい声を出すこと。それを私は毎晩やっている。四十何年もやっている。いまにもひびが割れそうなものですが、いっこう割れません。それはなぜかというと、訓練的に積極化するという、それをやっているからです。いかなる場合があろうとも、怠らずやっているからです。

✣訓練的な積極化——長く太く生きる「本当の方法」

会員はみなご承知だが、どんな冬の寒い日でも、ひる前に私のところへお出でになった方は、私がいつも真裸でいることを、真裸といってもズロースは穿いている。真裸になるのは風呂にはいるときだけであります。

そのときおいでの方は、私が氷の張ってる水風呂へはいっていることも、ご承知でありましょう。それは私が訓練的に積極化するという習慣が、自然に出来ているからです。

はァ、あの冬の寒いときに、氷の張ってる水風呂におはいりになるんですか、という。そういう人が自分で寒がっているだけである。はいる本人は、寒いのを我慢してはいってやァしません。もう馴《な》れきっちゃってる私の体は、冬の氷の張ってる水の中でも何とも思わないからはいるんで、あれをいちいち寒がっていて、ああ寒そうだと思ったら、その思っただけで患《わずら》っちまう。訓練的に積極化した体があるがためであります。

これがいきなり、私が五年も十年も何もやらないで、休ませておいた体で、いきなり演壇へ立たせてしゃべらせてごらんなさい。二時間はおろか、一時間としゃべらないうちに、心臓麻痺なり、あるいは呼吸切迫《せっぱく》がきて倒れてしまうでしょう。鍛えた体です。優柔不断に、ただ、あるがままに生きているんじゃァ、長生きは出来ないんだよ。生活の条件の中の肉体の、一番大事なことは、終始一貫、いかなる場合があっても、訓練的に積極化して行く。これで、心身統一の根本条件が具体化したんです。

７「わが心」を完全に「わがもの」にする法

✣「あなただけのチャンス」

聞いて見ればわけないだろう。そのわけないことを考えるのに、天風は頭が小さいから十年もかかった。とくに、この精神生命の生存に対する条件の確定に対して、いちばん、年限がかかった。なぜ年限がかかったかというと、生存条件はご承知のとおり、尊く、強く、正しく、清くということ。これは他の条件が、ああするんだ、こうするんだということがわかっていて、そうしよう、こうしようと思えばすぐ出来る。

たとえば、心の使い方は精神統一、精神統一は意識明瞭、ああそうか、やろうと思えばすぐ出来ます。また、肉体の生存に対する根本条件である、生命生存の条件に調和する。これも出来ます。調和する方法さえわかれば、訓練的に積極化するということも、勇気さえあれば、出来ることばかりであります。けれども、精神生命の生存の根本条件である、尊く強く正しく清くという言葉は、いくら心がけても、そうしなければならないということがわかっていても、いざとなると、そうなり得ない。私も何年間それで苦しんだかわからない。

あなた方。苦しみませんか。心身統一の条件のなかで、心ある人なら論理的にはすぐわかる。そのすぐわかる事柄のなかに、いちばん難しいことが一つあったなァと気がつくでしょう。しかも、その難しい、おのれの命の心でありながら、いざというときに自分の思うようになしえない心が、何と、何と、われわれの命の一切を働かす、原動的立場におかれているのであります。

これをまた、多くの人が気がついていない。つまり、言いかえれば心の生命に対する、肉体生命ばかりじゃないよ。生命全体に対する重大性を、ほんとうに認識している人がすくないのであります。おわかりになる筈だがなァ、ということは、この私もわからずにいた、あわて者の一人だがね。たとえば今夜、あなた方がここへ来られたのは、肉体が来たんですか。心があなた方をここへ連れて来たんですか。

おぼろに霞《かす》む春の夜に、行って銭をとられて難しい話を聞くよりも、それだけの銭があれば、銀座へ行ってコーヒーを一ぱい飲んで、映画が見られらァ。今日は一つ銀座へ行くべェかと思って家を出たつもりなのに、はっと気がついたらここへ来ちゃって、受付で金払ってここへ坐った、という人があったら手を上げて見てください。そうじゃなかろう。こういうチャンスを与えられたということは、これは偶然ではない。

東京にさえ何百万人と人間のいる中に、俺がこのチャンスを与えられたということは、結局、自己改造のエポックに違いない。行かずんばあるべからずという心が、あなた方をここへ坐らせたんじゃないですか。という端的なことを考えただけでも、ああなるほどと、心の重大性がわかるのだが、いざ鎌倉となると、それがわからなくなっちまう。

✣あやつり人形を「あやつる糸」

われわれの生命の生きているのは、三つの条件が働くためだということは、生理学上の通念であります。息を吸うことと、栄養を吸収すること、老廃物を排泄すること、この三つの条件が生命の火を燃やす。

科学的にいうと、新陳代謝の作用でおこなう条件になっている。それをおこなうのは何かというと、心なのでありますが、たいていの人はこのことに気がついていない。この三大条件は五臓六腑がおこなっていると思っている。胃だ、肺だ、心臓だ、肝臓だ、腎臓だというふうに、五臓六腑がおこなっていると思っている。もちろん、直接には五臓六腑であります。

しかし、この五臓六腑は、難しい言葉でいうと、オートマチックな力を持っていない。自分自身で働く力はない。どんなに毛の生えている心臓であろうと、どんなに大食いな胃の腑であろうと、あやつり人形と同じであります。あやつり人形は自分で動く力はありゃしない。五臓六腑はあやつり人形と同じように、それをあやつる糸ともなるべきものがある。それが神経系統であります。

もっとわかりやすい話をしようか。

あなた方、腹が減るだろう。何か食いたい気持が出るね。腹が減るというのは、あやつりの糸の中の植物神経が、中枢神経を通じて、動物性神経の本拠である大脳に、いま消化器官の中に栄養素がないよ、と通知する。それが腹が減ったという感じなんだ。

空腹をうったえて来たときに、心が何か食おう、という感じになる。食おうという感じが出るから、食い物を探しだす。それを目の前に運ぶ、口に運ぶというのが運動神経。心が運動神経に、それ、口へ持っていけと命令する。どんなあわて者でも、臍《へそ》へ持って行けとは言わない。笑うけれども、ほんとうのことを言っているんだ。口の中へはいるってェと、何も特別に注意されなくても、直ちに上顎下顎が運動を始める。咀嚼《そしゃく》運動をね。

学者というものはいやだね。口に入れたら噛みだすよ、でいいんだけれども、そういうと値打がないように思うんだよ。咀嚼運動。上顎下顎の自然運動をする。アンニャモンニャとやっているうちに、嚥下《えんか》を自由にするために、呑み込みやすくするために、あら不思議なるかな、何も考えていなくても、舌の根から唾なるものがじくじくと湧いて出る。

いきんで出す必要も何もない。自然に出て来る。自然に出て来るのは植物神経が、噛みだしたかい、そんなら呑み込みいいように唾やろうというんで、唾を出してくれる。どんな間抜けな奴にでも、植物神経がある。呑み込みやすくなると、嚥下作用というものが起こる。それが起きなかったら、呑み込めないんだよ。これがまた、苦もなく呑み込めているものだからさ、そういうおかげがあるなどとは思いもしない。生命の本能の中に、生存確保の自然作用があるんだよ。

そのときに、この喉のところに食道と気道との別れ道がある。微妙なるかな人体組織よ。パッと呑み込んだ瞬間に植物神経が働いて食道の方へ通す。この食い物が、とくに液体になっているんですから、ドロドロの麦芽状態で、あやまってフッと肺の中へはいったら大変だ。嚥下性肺炎というものを起こしちまう。これを起こしたら、どんな医者が来ても駄目です。病いがひどくなると、嚥下性肺炎になる。健康でいる間は、それは起こりません。

重体になってからに、死が近くなると往々《おうおう》にそれが起こるが、健康の間は起こらないというのは、植物性神経がパッと空気のはいる方の管をふさいじゃう。頼まなくてもね。そして、胃の方へ通じる管だけが、パッと大きくなるから、ポンと落ちる。

胃の中へはいるとよしやッというんで、胃はすぐ蠕動《ぜんどう》運動というものを始める。肝臓、脾臓《ひぞう》、膵臓《すいぞう》から、こいつをどんどん、十二指腸という細いところを通りやすいように、どろんとしたものにしてしまう、というありがたい作用があるんだぜ。十二指腸を通過して、小腸から大腸へはいると、腸はその中から、血となり肉となり骨となるものを、ぐんぐん組織の中へ吸い込んで、いらないものをぐんぐん直腸へ送り出す。そんなことは知りゃしない、あなた方。お世話になっていながらね。

直腸に送り出すと、そこにはまたノーパーク。つまり駐車場がない。そこで直腸は、おい、駄目だ、駐車場がないんだから、早く何とかしてくれねえか、と大脳に言うと、大脳はよしやッというので、トイレへ行けッという。

今度は運動神経がけつまくれッ。そこまで俺に説明させるのかい。直腸から排泄するときには、あなた方はみんなけつから出す。どんな奴でも口から出す奴はいない。出来るだけ出してしまったあとは、もうあなた方の植物神経も動物神経と関係する必要はない。あとは東京都にご厄介になる。

✣「心を掃除する」とすべてが好転する！

というこのいきさつを考えると、心と体という、この命を形成しているものの関係は、ちょうど一筋の川の流れのごとく、切れず、離れない。そうして、つねにこの川の流れの、川上は心で川下は肉体だということに気がついたならば、心というものはどんな場合があろうとも、積極的であらしめなければならんのは当然だ、と気がつくでしょう。慣れないためかどうかしらないが、こういう消息をすこしも考えないで、肉体に病いが出れば、それ注射だ、医学博士だ、それ入院だ、それ転地だ、それ温泉だ。そして八方手をつくして、それが効かなくなると、それお寺だ、それお坊さんだ。

あわて者の私がその先覚者だ。そっちのことにちっとも気がつかない。それをインドの聖者から、お前は自分の体のことばかり考えて、つまり、川上のことはそっちのけで、川下だけを掃除しようとしている。そのことを教えてやるから来い、と言われて連れて行かれた。

ところが、教わったは教わったが、そして、よほど大切なものだということはわかったが、その大切な心は、ではどうすれば俺の思うとおりに大切にあつかうことが出来るかという問題に、はたと困って十年。何とあなた方は仕合せだ。それをこれからすぐ教わるんだ。

わかってしまうと、天風、阿呆かいな、と思うだろうけれども、何と言われてもわからなかった。どう考えても、何故《なぜ》かいな。こういう場合にこういう気持ではいけないんだ、ということは、先般承知していながら、いざとなれば、尊からず、強からず、正しからず、清からず、いつもあとから、ああ、あのとき、自分ながら卑しい気持を持ったな。どうしてもっと強くなれないのか。自分でも愛想がつきるくらい正しくないことを考えたり、というようなことはしじゅう。

あなた方はどう。私はね、いまだにときどき、そういうことがあるのよ。ただ、いまはそれにとらわれないだけのことだ。こういうことを知らねェ時分てェものは、組んずほぐれつだ。

尊からず、強からず、正しからず、清からずと、心の中でしょっちゅう組み敷かれていた。そうして、これじゃいけねェ、これじゃいけねェということだけを考えていても、そう思った瞬間に、もういけません。また、すぐに、尊からず、強からず、一番さきに困っちゃったのは、これはほんとうに困った問題です。

病いを気にしちゃァいけないということは、フランスのパリにいる時分から知ってたよ。また、いずれ折りがあったらお話するけれどもね、フランスはさすがに心理学の国だけあって、医者を始めとして、病いは薬よりも、まず心だよ。病いを気にしているかぎりは、永久に治らねェ、ということを、パリの医者だけは言ってくれた。

日本の医者は絶対にそうは言いません。日本の医者は曖昧《あいまい》なことをいうのが得意であります。診察して帰りがけに、相手が金持で、金払いがよければよいほど、医者だか幇間《ほうかん》だか分らないほど頭を下げて、「お大事に、」という。そのとき、なぜきかないんですか。「ちょっとお待ち下さい。お大事にっておっしゃるが、どういうふうにするとお大事になるんでしょう。わが子、わが嫁、わが孫である以上は、大事に思っておりますが、なお、よりいっそう、大事にするにはどうしたらいいんでしょう。」と言ってごらん。「それは日本人の挨拶でございます。とにかく、お大事に。」

この、お大事にという言葉くらい、言いまわしにごまかされる言葉はないな。そういう場合に、天風会の医者なら、「そんなに、病人に神経を立たせないようにな。はたの者が、また、あまり病いを恐れないように。病いは気からとも言いますからな。私は最善をつくしますからご安心下さい。では、また明日。」これがほんとうの挨拶だ。「お大事に、ありがとうございます。」何だこれは、金語楼《きんごろう》（＊柳家金語楼。落語家、喜劇俳優）のコンニャク問答だ。

✣「自分の心」を思うままにあやつる人

さて、しかし、自分の問題になると、私が一番こまったのは、病いを気にするなと言われても、人の病いじゃねェじゃねェか。現在俺が病いにかかって、脈が切れたり息苦しくなったりするのを、気にするなと言っても、気にしないでいられるかい。隣りのばあさん、じいさんがわずらっているんじゃない、俺の体じゃないか、という奴がある。

私なんて、自分でも言いにくいほど恥しいことをしていたよ。夜中に目が覚めたらすぐ、脈をさわって見る。目が覚めたのは生きているから目が覚めたんで、何も脈をさわらなくてもいいじゃないか。わかりきったことだよ、これは。死んでりゃ目が覚めない筈なのに、目が覚めたんだから、ああ生きていたかと思って、そのまま寝ちまえばいいのに、改めて脈をとって見てやがる。馬鹿だよ、この男。それだけで済めばいいけれども、目が覚めたついでだから、といって、熱をはかったりしてね。

しかもそれが、文化民族の非常にすぐれた衛生思想だと思ったんだ、この阿呆。ただの阿呆じゃない。ただの阿呆じゃないのを、大阪の言葉でアホンダラと言います。私のことだけを言っているんだと思うと、あなた方、好い気持だろう。おのれのことを言われているのがわからねェ。それがほんとのアホンダラだ。

しかし、求めよ、さらば与えられん。十年の苦心むなしからず。あるとき私は、フッと偶然に、心の働きを支配している中枢神経が何であるかを研究する気持になって、心の働き一切をつかさどっている中枢神経がサセプティビリティズということがわかった。日本語で書くと、感応性能。そうして直ちに、わが心、わが命が、わがものでありながら思うようにならないのは、いつの間にか、感応性能の働きが鈍ってしまったからだということが、発見されたのです。

ところが、その発見の喜びも束の間、嬉しいな、と思ったと同時に、はたと大きな壁につき当ったんだね。いままでもそうであるが、当時はなおさら、精神科学者でも、実験心理学者でも、感応性能のあることは学問的に知っていても、その感応性能という、心の働きをおこなう中枢神経が弱いか強いかは生れつきで、人間の、人為的な方法や工夫ではそれ以上どうにもならないんだ、というディグニションを、どういう点から割り出したものか、一応持っていたんでありますす。

✣今日「生れつきの強い心」を取り戻す！

早い話が、せっかく、お前、それを発見したけれども、それはどうにもならん問題だよ。ということなんです。その証拠として彼等の言うには、事実は争えない。短気者はどうしたって短気だし、やきもち焼きはどうしたってやきもち焼きだろう。手癖の悪い奴はどんな教育をしたって駄目だし、嘘つきはどこまで行っても嘘つきだ。生れつきだから直りゃしないよ。

がっかりしたの、失望したの。しかし、私はそのとき、ひょいとこういうことを考えた。待てよ。学者、必ずしも馬鹿じゃないが、学者は俺みたいに自分の命を張って、こまったとか、研究したとかいうような経験を持ってねェじゃやネェか。ただ自分が、人より余計に本を読んだり、研究したりしたというだけのことじゃないか。その上、俺と違うのは、学者の持っているディグニションに対して、一片の疑義を持つ俺という人間は、自惚《うぬぼ》れもあるかもしれないけれども、生れつき決して気の弱い人間ではない筈だ。

それはね、自分自身の心は自分が一番よく知っています。なぜかというと、それに採用されれば、当然生きて帰れない軍事探偵を、私は二度も自分から志願した。それくらいの男だから、普通の人間より気が弱くはなかったと思うがいかがでしょう。三千人の応募者の中から、最後の百十三人を選ぶときに、陸軍大学の教官と生徒が、いちばん厳密なテストをしたのは、胆力であります。胆力が薄弱だとしたら、軍事探偵なんかになれやしません。胆力と武術だけが厳密に試された。

その中にはいって、私は無条件でパスした。その事実から考えても、普通の人間よりも気力は強かったと確信している。その人間がだよ。戦争のときに、あれほど勇敢な働きをして、最後に、明治三十七年の三月、ロシア軍に囚われて死刑の宣告を受け、銃殺寸前にまでなった私だ。そのときも、なお、私は平然として自分の死に直面し、心に動揺を感じなかったのに、いま病いにかかって、自分でも愛想がつきるくらいに弱い心になったのは、どういうわけか。

生れつきという点から、学者のいうことがほんとうならば、俺は病いになっても決して心は弱くならなかった筈だ。戦争というような危険に直面すると、非常な強さが出て来て、病いになると、こんなだらしのねェ弱い心になるところを見るてェと、学者のいうこと、必ずしも信じられないぞ。

学者がどうでもかまうことあるか。俺は生れつき弱かった人間じゃないんだから、また生れつき強かった人間に立ち帰るのに、なに面倒なことがあるか。俺は学者の言うことを信ずるよりも、自分で自分を研究する。そういう気持になったのでありますｏ あのとき、私も、まァ学者がそういうなら駄目か。じゃあ、これもこの俺の、この世に生れた一つの業《ごう》かも知れねェから、しようがねェや。あきらめて死んじまうか、ということになったかも知れない。

考えて、考えて、考えたなァ。こんな小さな頭でも、頭の中がからっぽになるくらい苦心して考えた。そして最初に私が考えたキイポイントは、どういうわけで、感応性能が強かったのに弱くなったのかということ。原因あっての結果ですからね。そしてついに、その原因をさぐり当てた。

その原因は三つあります。

第一は自分の潜在意識の観念要素が、いっこうにとり替えられていないということ。観念要素の更改をしていないこと。

第二は自分の人生を生きる刹那《せつな》刹那に、自分の観念を積極的にしようと心がけなかったこと。痛いから痛いんだ。怠けたいから怠けたいんだ。悲しいから悲しいんだと、そう思うのが当然だとばかり、すこしの積極化も考えなかった。

第三は感情感覚の処理、刺戟衝動に対する神経のディレクション（＊指示）というものを、すこしも調節しなかった。この三つの事柄が、生れつき強かった筈の感応性能を弱くさせた原因だということに、気がついたのであります。

⑧ どうすれば「弱い精神」を強くできるか

✣学者の言うことを信じるとバカを見る

これは前にも話したが、フランスで風邪をひいたとき、私は医者にかかった。そして、いかにフランスの医者が肉体よりも心を大事にしているかということを知った。熱が高くて苦しんでいると、医者が来て診察した。

「それじゃ、また、二、三日たって来るから、」「明日もまた、来ていただけませんか、」というと「そんな、風邪ひきくらいに、毎日来る必要はないでしょう。」「では、薬は何をのんだらいいでしょう。」「薬？　こんな病いにのむ薬があるかね、」

という。「薬なんかいらない。温いコーヒーなり紅茶を飲んで、寝ていれば心配ない。治るときが来れば治る。それが何よりの養生法だ。」という。

これでよく、医者としての営業が成り立つな、と思ったら、診察料が馬鹿に高い。日本の医者は、薬を売りつけなければおまんまが食えないから、余儀なくこういう場合には、いらない薬でも売ります。相手が金があって、神経過敏だと思えばなおのことです。

だから、日本の医者の仲間にはいやな言葉がある。ヤトウゼニック。ドイツ語ですがね。おだてに乗りやすい人間がいる。フランスのように、診察料でもって医者の生活がたっているなら、無理に薬は売るまいが、日本のように診察料が安くて、おまんまが食えないというような、余儀ない事情では、どうしても薬を売らなければならない。薬を売るには、どうしても薬を買いたくなるような気持にさせなければ駄目なんだ。医者に言われると、素人というものは情けないかな、分別がつかなくなるんですよ。まして、気が弱くて、急に死にそうもなくて、金があるとなれば、医者のおだてにすぐ乗ってしまいます。

いままでの経験を考えてごらん。効かない薬を、のまなくてもいいのにのまされた覚えがありゃしないか。

「駄目だな、素人《しろうと》ってェものは。こういう病いをうっちゃらかしておくと、どんどん悪くなる。いい薬があるんだ。これをのみなさい。病いというものはね。医者と患者が、へんな言葉でいうようだが、惚《ほ》れ合わなければ治らないんだよ。私も一所懸命あなたを治してあげるから、あなたも私を親身な気持でもって、慕って来なければ駄目だよ。いいかい。死んだと思えば何でもないじゃァないかい、このくらいの薬代。ドイツから来た新しい薬だ。少し高いけれども、命あってのもの種《だね》だ。ほかの人には絶対やらない薬だよ。」

恩に着せて、ヤトウゼニックをおこなうのであります。

すると、特に自信のある女の人は、というのはお世辞であります。ほんとうのことをいうと、自惚《うぬぼ》れの強い女は、もっとはっきりいうと、女ってェものは自惚れが強いから、医者からそういう言葉をかけられると、ヤトウゼニックとは感じないで、これは私だけに特別にこうしてくださるところをみると、先生は私に特別な気持を、とすぐにそういうことを考える。まことにお医者さんには相済みませんけれども、実情を言わずしてやむべけんや、という事実があるからいたしかたない。心を鬼にして言っているわけです。

✣まず「健全な精神」。次に「健全な肉体」

とにかく、いまの医者の言葉でもわかるように、たいていの病いはまず心を強く、第一番に病いを気にしないようにすることはよくわかった。たしかにそれに違いないが、しかし、体が悪かった日には、心というものは、いくら強くしようと思っても強くならないんだな。頭痛ひとつしたって、腹がひとつ痛んだって、元気がなくなるところを見れば、これは大事だ。この大事な心を強くするには体を強くしなければ駄目だ、という考えが、いまから五十年前にはあったな。

こういう言葉があった。

「健全な肉体にあらずんば、健全な精神宿る能《あた》わず。」

よくない言葉だよ。そのよくない言葉が、それ以外の事実を知らない人間の頭には、もっとはっきり言っちゃうと、人生に対する論理思索が立体的におこなわれていない人間の私には、こういう言葉がピシャッと、なんともいえない、神の啓示のように響くんだよ。五十年前てェのは野蛮だったね。テレビもなければラジオもない。飛行機だって、まっすぐには飛ばなかった時代なんですから。

へんなことを話すようだけれども、日本で始めて所沢でもって、飛行機が二分間とんだのが大正二年。のちに中将になった徳川さんが大尉の時分です。これはもう、号外が出ましたよ。号外、号外と言って、腰に鈴をさげた奴が、あたりにビラ撒《ま》いて歩いた。「驚くなかれ。徳川大尉、滞空じつに二分間。」わあッ、やった。鳥のように飛んだ。二分間とんで、びっくらこいたのが大正二年。ねえ、全く四十五、六年前にはそんな状態だった。だから、五十年前の人間の頭なんて、人生に対して極めて幼稚だった。

それだから、反対事実はちっとも知らない。知らないんじゃない、考えない。考えないからわからないんだ。もしも健全な肉体にあらずんば健全な精神やどる能わずならば、体の丈夫な奴は、みな心が強い筈であります。ところが豈《あに》はからんや。運動家や武術家や、あるいは特に相撲取りなんていうものは、みな体が強い。弱かったら勝負師になれんもの。その体の強い彼らが、心も体の強さに比例して強いかってェと、豈はからんや。そうじゃない。特に相撲取りなんてものは、締込《しめこ》みの中に成田山のお札を入れず土俵に上る奴は、もうほとんどいない。すると、あの土俵でもって、ハッケヨイヤってやっている関取は、実はお守りが相撲をとっているんだ。結局、気が弱いから、お守りなんかに頼るんだね。考えてごらんな。成田山ってェのは、木の札に焼印が押してある。あんなものでもって、いつも勝ちになるとしたら、おかしいや。

真理は厳粛です。その体てェものは、心が強くならなければ決して強くなれない。それを誰も知らない。心をおっぽり出しておいて、心はどんなに神経過敏でも、肉体だけがどんどん強くなるてェことは絶対にない。お医者さんで私の言ってることが嘘だと思ったら、手をあげてくれ。誰もありませんよ。そんなことをいう奴はいないもの。

健全な肉体は健全な精神によって作られるのであって、健全な肉体によって精神が作られるのではない。もう一つ、千歩万歩をゆずって、体が強ければ心が強くなるとしましょう。そんな心が頼みになりますか。なぜかというと、体の強い間だけ強い心だもの。体が弱くなってしまうと、心も弱くなってしまう。そんな心なら、あってもなくても同じ心じゃないか。不断《ふだん》、つね日ごろ、なんでもないときにはなんでもなくてよいのであります。体が丈夫で、どこもどうもないときには、心が弱くても強くても関係ない。

病いや運命の悪くなったときに、それに負けない、打ち負かされない、しいたげられない強さと尊さとを持った心が欲しいのです。その心は、体を当てにして作ったのでは作れません。

それを、まァ私も、アメリカで医学の勉強までしながら、心を強くするには肉体を強くしなければできないように思っていた。哀れな医学者だったんですよ。それがインドに行って、心は心の方から直さないかぎりは強くなれない、ということを教わった。ただし、ヨガの哲学というものは、肉体の生活に対しては、ああする、こうする、という方法は教えません。すべて悟りで、自分で自覚しなければならないことになっている。

✦強い心、弱い心

では、心の力を心の方から作るというのは、いったいどうすればいいのか。感応性能という、心の働きの全部をおこなっているものを強くすることによって、その目的が達せられる。しかし、この感応性能という特殊な機能は、生れたときから親に貰ったもので、人間の知恵工夫ではどうにもならない、と学者が言っている。

といっても、私は自分より偉い学者や医者の言ってることでも、学者神さまじゃあるまいし、学者が言ったからといって、それでもって決っているとはいえないじゃないか、と思う癖がある。

前から私は、こういうことを知っていた。無線電信の可能性をイギリスでバクスレーが説いたのは、いまから百年前。人間が遠くに離れていて、そこに何の媒介物質なくして、空間を通して自分の考えを向うに伝えることができるようになる。その当時の学者はこれを、まじめな科学研究をしている人間に与えた一大侮辱だというので、バクスレーを牢に放り込んでしまった。気の毒に、もともと体の強くなかった人で、間もなく牢屋で死んでしまった。

ね、生きてりゃ報いられたのに運の悪い人だった、死んで五十年たたない間に、イギリスのある鉄工場の職工が、自分が鉄屑をもって仕事をしてるときに、ひょいと電気を感じたんだな。それが動機で、エジソンがさらに事実を対象として、無線電信の完成を、わずか五十年の後にする。

もう少し生きていればよかった、バクスレー。もちろん、無線電信が出来るようになったときには、もうバクスレーを訴えた学者も死んでいるし、懲役にやった裁判官も死んでいます。いまごろになって、よほど気の毒と思ったんでしょうな。ロンドンのセントラル・パークにバクスレーの銅像が建っていますがね。どうぞ安心して死んで下さい、と言って建てたのでしょう。

私はね、それを知っていたから、学者のいうことなんか、当てにならないことが多い。よしんば学者がなんて言おうと、俺はもともと心が強かったんだ。それが病いのために弱くなったってェのは、一つの変調なんだ。その変調を正調に戻すことは、なんの、大した努力をしなくたって出来る筈だ。ああでもない、こうでもないと、縦から横から縦横無尽に考えた末、まず第一番に、何故に感応性能が弱くなったかを考えた。

自分自身、強かった時代を知っている私だ。弱くなってから後の状態と照らし合せてみると、その間の経路をずっと考えてみると、潜在意識の観念要素がすこしも取り替えられていなかった。どんどん感応性能を弱くするようなものばかりでもって、心の表面に滲み出していたんだと考えた。自分の精神に対して、肉体を大事にしたようには考えないで、やりっ放しで生きていた。結局、積極観念の養成なんてェことは、これから先も考えていなかったことに気がついた。

肉体のことはつねに考えている。これ食ったら障《さわ》りやしないか、あれ食ったらよかないか、これ食ったらカロリーがどうの、あれ食ったらビタミンがどうの、カルシウムがどうの、そんなことはけっこう考えるんですが、心の方のことは、これからさきも考えない。

そうしてさらに神経反射の調節なんてことは、私の人生の考える知識の中には、爪の垢ほどもなかった。早い話が、消極的な感情、情念によって、われわれの命の、主導力をおこなう神経系統の生活機能が、手ひどい障害をうける。これじゃァ駄目なんだ。この神経系統の生活機能は、どんなことをしても弱くさせないようにしなければ、ということを、これっぽっちも考えたことはない。まァ、その当時の私の頭の中は、こんなにからっぽだったのだ。

いまから五年前に、フランスの生理学者であるセリエ博士が、朝日新聞へ来てストレスの講演をした。それで始めてストレスというものがあることに気がついた。それまでは、全然気がつかないで、ただぼうっと生きてる人が多かったのです。

9 幸福を呼ぶ「心の掃除術」

まず、自分の〝心の倉庫〟をのぞいてみる

そこで、これから観念要素の更改について話しましょう。これはまた、あなた方の多くが気がついていない。人間の心でおこなう、この、思考というものですが、心の表面では実在意識というものがおこなっている。

しかし、人間が何事を思うにつけても、考えるにつけても、この心の表面の実在意識だけで、その単一な働きだけで、ものを思ったり考えたりするものではないのであります。実在意識の奥にもう一つ、潜在意識というものがある。俗に心の倉庫

と言います。

この中で思ったり考えたりするすべての材料が、観念要素と名づけられてはいっている。何かものを考えようとすると、すぐこの観念要素が、ひょいひょいと飛び出して来ては、実在意識となる。そして、その思い方考え方に、一連のアイディアを組み立てるのであります。

この侵すべからざる大きな事実を、静かに考えてみると、人間の思い方考え方が、尊くなるのも卑しくなるのも、強くなるのも弱くなるのも、正しくなるのも清くなるのも、結局はこの観念要素の状態に左右されているということになる。そういうことに、たいていの場合、気がつかない。気がつかないどころか、中には、自分の思い方考え方の間違っていることに、同情している奴があるだろう。

「こういうときに、こういう考え方をしちゃいけないかもしれないが、天風さんのように偉くなれゃいざ知らず、俺ァ凡夫なんだ。おまけに人の身の上じゃない。自分の身の上だぞ。これが怒らずにいられるかい。」

そう言って怒っている奴がある。

真理というものは事情に同情してくれず、また弁護もしてくれない。「お前の場合は別だから、まァいいわ、心配しろ。しようがないわな。そのかわり、体に障《さわ》らないようにしておけ。」なんて言ってはくれない。事情はどうあろうとも、われわれの思い方考え方がすこしでも消極的である場合は、直ちに、われわれの生きる肉体生命のうえに、驚くべき、よくない変化が現われて来る。これをたいていの人は知りませんよ。

お医者さんがだいいち気のつかない人が多いんだから、素人の気のつかないのは無理はないが、すこしでもわれわれの心の中に消極的な感情、情念が起こるとね。命を生かす上に直接に欠くべからざる血液と淋巴《りんぱ》とが、その性能のすべてが、消極的な感情、情念の発生と同時に、ディストロイ（破壊）されてしまう。

これをご存じないでしょう。知らないから、平気で怒ったり、泣いたり、恐れたり、憎んだり恨んだりしているんだよ。怒ると血液は直ちに黒褐色になって味《あじわ》いが渋くなる。どうです。悲しむと茶褐色になって味いが苦くなる。恐怖の念が心に生じると、血液はたちまち丹青色になって、味いは酢っぱくなる。色と味の違った血液と淋巴はどうなる。血液の持っている大事な役目が、完全に遂行されない状態になる。

血液には二つの役目があります。こういうことは小学校の子供でも知っているけれども、かえって大人が知らないから、大人に言って聞かせる。

血液の一つの役割は、われわれの肉体を組織している細胞を養うために、もっとわかりやすく言えば、細胞が生きるのに栄養物が必要である。その栄養物を運ぶ役目である。だから血液は細胞の生命を支える栄養物の運搬をおこなっている。郵政省（＊現・総務省）だな。

もう一つ忘れてならないことは、われわれの肉体生命の存在に、危害を加えるバクテリヤやバチルス（＊細菌）、これはもう、目に見えないからいないと思っているだろうが、顕微鏡の、すくなくとも五百倍くらいの顕微鏡をかけて歩いたら、表に出られやしないほどいっぱいいる。表に出られないどころか、家の中にもいて、生きたここちはしないくらいのものだ。自分の坐っている周囲、周囲どころじゃない。自分の体の中にもうんとこさといる。それが白粉《おしろい》つけたり、髪をカールしたり、仕立おろしの洋服を着たり、そうして、好きだわ、と言ってなめっこしたり、いやだな。そんなことはどうでもいいけど、お互いに黴菌《ばいきん》のやりとりをしているんだろう。そういう黴菌やバチルスをそのままにしておくと、われわれの肉体は完全に生きていかれません。

天なるかな。有難いかな。よろしいか。血液の中の白血球というものが、それを取り殺してくれるという作用を持っている。これを医学の方で食菌作用という。けれどもそれは、理想的な血液が体内を循環している場合にのみおこなわれる状態である。理想的な血液とは、血液の主成分が弱アルカリ性である場合にいう。

✣幸福になる人は「怒らない」「悲観しない」「恐れない」

ところが、消極的な感情・情念を起こした場合の、色や味の変った血液は、弱アルカリ性ではないのであります。どういう血液かというと、酸が非常にふえて、医学的にいうと、アシドーシスという血液になっちまう。このアシドーシスという血液になるってェと、黴菌でも何でも、繁殖するのに非常に都合の好《い》い状態になっちまう。

それが嘘でない証拠は、あらゆる事実に証明出来るが、いちばん早わかりのできるのは、神経過敏な気の弱い人が病いにかかるてェと、どうしてもその病いが長びきます。また、得てして、病いにかかりやすい。結局、抵抗力が体から減らされているもの。ところが、そういう理由さえ知らないくらいなんですから、血液がそういう状態になるような、消極的な観念とはどういうものか、知りませんよ。せいぜい知っていたところで、三つか四つくらいのものだ。消極的な感情、情念とはどんなものか、教えてあげるからね。

一番さきが怒ること、あなた方のもっとも得意とするところだ。

第二は悲観すること。これも頼まれなくても、しょっちゅうやっている。

第三はやたらと理由なくして恐れること。

第四は憎むこと。みんなお得意とすることばかりだろう。

第五が恨むこと。

第六が焼きもちを焼くこと。これは何も、男女の間ばかりで焼くんじゃないんだよ。同性の間にもあるんだよ。女の人が途中で行き合う。同じ齢ごろの人間だってエと、ハッと見合ったせつな、向うの頭の先から足の先まで、パッと観察してしまうだろう。何さ、偉そうな顔して、白粉なんか安物つけてるじゃないの。帯だって洗いざらしだし、足袋だって穴があいてるわ。私の方がよっぽど偉いわ。ヘッ。

次に煩悶《はんもん》、苦悩、憂愁。みんな、あなた方の得意なことばかりだ。

この中のどれか知らんが心に起これば、それが消極的感情、情念だ。それが心の中に起これば、いま言ったように、たちまち血液と淋巴《りんぱ》の弱アルカリ性が、ぐっと破壊されてしまう。

✤消極的感情を〝掃除する〟

とにもかくにも、この消極的感情、情念を、自分の実在意識の中に発生せしめないようにしなければならないんだが、それがいけないと言われたそばから、発生させまいと思っても駄目。何故かというと、潜在意識の中に、観念要素の中に、そのどれかしらんがはいっているかぎりは駄目だ。

実在意識にそういうことを思ったり考えたりすることがいけないんじゃないんだ。学者や識者、あるいは宗教家は、そういうときに、そういう思い方考え方をするからいけないんだというけれども、私から言わせれば、思ったり考えたりするのがいけないいんじゃないいんだよ。え？　潜在意識の中に、そういうことを思わせたり考えさせたりするような、材料をため込んでおくことがいけないんだ。材料がなけりゃ出て来ねェんだ。あるから出て来る。

考えてごらん。四斗樽に水を一ぱい入れておいたら、いつのまにか、ぼうふらがわき出したとする。これはいけないっていうんで、あとから新しい水をいくら入れても、よろしいか。ぼうふらの卵をとらないかぎりは、いつまでまってもぼうふらを失くすることは出来ないんだ。それを多くの人々は気がつかない。

とくにこういうことははっきり言わなければならない学者や宗教家が、ただ、実在意識に、感激に値することや嬉しいことを聞かせておけば、あるいはものの本でも読ませておきさえすれば、その人間の心の状態を強くなし得るように思っている。ところが、それでは出来ない。なぜできないかというと、コンクリートで厚く塗られている壁へ、水をぶっかけるのと同じことで、どんないいことでも、みんな、跳ね返っちまう。

いままであなた方、生れて始めて天風からこういう話を聞いてるんじゃないんだぜ。天風のような説き方をする人は少いかも知れないが、学者や識者の本を読んだ場合にでも、また、話を聞いた場合にでも、宗教家のお説法を聞いたときにだって、みんな、一時的には感激したことがありゃしない？　そいつが、この中に（と頭に手をやって話す。）はいってやァしないもの。はいれないがゆえに、はいってないんだ。

アパートを借りに行ってからに、空き間がなければはいれないのと同じこと。どんないいことでも、潜在意識の中にはいりたくても、潜在意識の中は、ノー・ベケント・ルーム（＊空室なし）なんだ。だから、何をおいても、まず、第一番に、潜在意識、すなわち心の奥の、大掃除をやらなければいけないんだよ。

それが、観念要素の更改ということなんだよ。人の顔の異るごとく、潜在意識の中の観念要素の状態は違っているけれども、これだけは言い得るんだ。現代人は一応は、それぞれ違った観念要素を必ず持っているけれども、そいつがみんな、消極的な事柄ばかりだ。だから、そこらでうろちょろ生きている人間どもは、どんなに学問しようが、どんなに金が出来ようが、この中を掃除しないかぎりは、何か事がありゃ、すぐ、いままでの大言壮語はどこへやら、哀れ惨憺《さんたん》たる状態にその心がなっちまうのであります。

この中に、よくないものがいっぱい詰っているんだもの、ね、言われれば簡単明瞭なことが、これほどになが い間、苦心して研究した結果でないとわからなかった。わからない筈だろ。あなた方のような、俊敏 隼《はやぶさ》のごとき賢明な頭脳をもっても知らなかったんだもの。

考えてごらん。いままであなた方は、私の話を聞くまでは、自分自身のことをまんざら馬鹿だとは思ってなかったんだろう。ねえ、思っていないどころか、まア、仲間の中ではだいたい俺が一番悧巧《りこう》だってェ顔していたんだけれどもね。私もそのお仲間の一人だった。まず、俺くらいは、と思っていた。傲慢な自惚《うぬぼ》れを持っていた。インドへ行って、ぺしゃんこにされちまった。お前なんか、形が人間であるだけで、人間らしい心はちっとも持っていない、とね。

腹が立ったよ。腹が立ったけれども、ほんとうだからしようがないやね。しかし、私は決して、腹で思っていても、口ではそんなことは言いませんから、ご安心下さい。私は礼儀を知っているから。とにかく、この中を取り替えましょう。

3章

「一生に一度の感動」を得る！

⑩「死なずに生きている」――この事実に感謝を！

✣「世界一の幸福者」とは？

ご参考までに、私がインドで先生に言われたことをお聞かせしましょう。毎日毎日、体の調子が悪いものだから、ついつい、眉に八の字をよせて、笑顔ひとつ出来なかった私にむかって、

「今日はどうだね、」

ときかれる。

「ええ、今日は頭も痛くありませんし、熱もないんですが、ただ、気が重うござん

してね、」

「気が重いというのは、どういうんだい。」

「それはちょっと説明出来ませんけれども、とにかく重いんですよ。」

手に持ったこともない気が、重いように思うんだね。どこもどうもなくても、笑顔してもいいんだけれども、その笑顔が出来ない。その当時の私はそうでした。

すると、こう言われた。「お前はね、誰に頼まれていったい、自分の毎日を、そんなにうす暗く生きているんだい。」

「誰にも頼まれやしません。体の具合が悪いからですよ。私だってね、先生。体が丈夫なときには、それはもう、私くらい快活な人間もないといわれたくらいの人間でしたよ。病いになったから、こんなになっちまったんですよ。いつ殺されるかわからないような、今日あって明日なき命を覚悟の上で、軍事探偵をしているときでも、私くらい快活な奴はないと言われた人間ですよ。病いさえ治れば、もとの快活になれらァ。」

「病いが治ったらてェと、それじゃァ、治らなかったらお前は、生涯、快活にはなれないのかい。」

「なれませんよ。」

「そうかい。それじゃァ、お前は治らないよ。」

「えッ。」

「快活になれないんなら、治らないよ。第一、お前はね、ようく考えて見ろ。ほんとうに有難いということを感じない、というのが、その理由だ。」

「有難いことが、何かあるんですか。」

「俺から見るてェと、お前は世界一の幸福者だ。」

「世界一の幸福者。この私が。へッ。こんなにのべつ、八年も熱わずらって、いつなんどき死んじまうかわからないような、危い病いを背負っていながら、世界一の幸福者だとはね、」

「その病いがあるからこそ、同じインドに生れても、どんな身分の人でも、ヨガの研究をする家に生れたものでなければ、俺のわきには来られないんだぜ。それを偶然、旅の道連れにカイロでお前に会って、私はお前をいかにも哀れだと思って、ここへ連れて来てやった。お前が学問のない人間なら、俺は連れて来なかった。偉そうに、文明の都で相当の学問をして、文明人から見るてェと、優れた人間である証拠の学位まで持っている人間が、俺の目に映るてェと、無学文盲の人間にしか見えない。こういう人間、世の中に出したら、お前一人の不幸ではなく、お前の周囲に群がる奴は、みんな不幸にすると思ったから、俺はお前を連れて来る気になった。こういうところへ来て、真理によって、お前の魂が目覚めるということを考えてみたら、このうえもない幸福じゃないか、罰当りめ。第一、お前は、喜ばねばならないことが一つあるのを忘れている。」

「何です。私が喜ぶことなんてあるでしょうか。」

「ある。」

「ありませんよ。ご親切に連れて来て下すったことは、有難いと言えば有難いけれども、これもお頼みして連れて来て貰ったんじゃない。こんな山の中に、」

「お前、恨んでいるのかい。」

「恨みやしませんがね。有難いことがあるというのが、私にはわからない。」

「あるよ。」

「何です。」

「生きていることだ。」

「えッ、」

「びっくらしたな。お前は死なずに生きているだろうが。熱があろうと、血を吐こうと、生きていることに、なぜ感激しないんだ。」

私はそれを反対に考えていた。生きているからこそ、この苦しみだ。それじゃ死んでしまえばよかったんだが、死なないんですからね。感謝しなければならないことを感謝しないでいるんだから、有難いとは思いませんよ。罰当りだったんだな、私は。

「死なずに生きている。この命に対して、なぜ有難いとは思わない。もしも人間同士だったら、とうにお前は殺されているわ。」

「えッ、」

「そうじゃないかい。お前が一切のことを頼んだとする。頼んだとおりに、使いなら使いを頼んでからに、相手の人がそこに行ってくれなかったら、お前、褒《ほ》めるかい。重大な用事を頼んで、その人がよそへ遊びに行っちゃって、お前の用事をしないで帰って来て、よそで遊んでて行かなかったと言ったとしたら、『ああ、いいや、いいや、ついでに気のむいたときに行ってくれ』って言うかい。大事な用事なら大事な用事ほど、面白くないだろう。ましてお前が、その人間を自由に処罰出来る立場だったとしたら、その立場上、お前はその人間を免職にするか、場合によっては、その人間の生命にまで、危害を与えるかもしれないだろう。この世を造った造物主は、」

神という言葉は言いません。ヨガの哲学に、神なんて言ったら、それこそインチキですよ。

✣魂の夜明け――人は「自分を高める」ために生まれてきた

「造物主はお前という人間を、人間の世界に生みつけたのは、人間の仕事をさせようがためだ。」

「えッ。」

「人間の仕事をさせようがためだ。」

「人間の仕事って何です。」

「知らないのかい、お前、」

「知りません。」

「知らないのなら言って聞かせよう。お前はこの世に何しに来たか、知らずに今日まで生きて来たのか。いままで、何のために学問をしたんだ。」

「偉くなるためです。」

「偉くなるのは何のためだ。」

「へえ、偉くなったら、人より立派な家に住んで、人より立派な毎日の生活をして、人より幸福な、」

「馬鹿。そういう考え方をしているから、お前は偉くなれねェんだ。人間がこの世に生きた使命というものを知らないいんだ。」

「けどね、先生。私は注文して出て来たんじゃありませんよ、この世の中に。ひょいと気がついたら、人間だった。それもはっきり、俺は人間の仲間にはいっているんだなァ、ということに気がついたのは、三つくらいからですよ。」

「お前のような人間が、とにかくこの土地に来てよかったな。来なければ何もわからないで、お前はただ、そのまま、病いと組打ちしてからに、この世を終るだけだ。考えろ。人間なにしにこの世へ生れて来たか。」

この問題と取っ組んで半年かかった。朝、夜明けから日の暮れまで、十八町一里の、三里ある山奥へ行って、滝壺のわきで坐禅組みながら、「われ、いずこより来り、いずこに行かんとす。何の事情ありて、この現象世界に人間として生れ来しや。」あなた方だったらね、これは決して皮肉で言っているのではない。一カ月か二カ月で考えるかも知れない。私は半年かかった。何しろ、私のそれまでにやった学問の中には、そんな難しい問題を考える知識要素がないんです。

だんだん考えているうちに、魂の夜明けが来ます。ああでもない、こうでもない、とだんだん考えてみて、どうも人間というものは、万物の霊長と言われるけれども、その優れたポイントは何か。ぜいたくをするためにこの世に出て来たのでもなければ、俺みたいに患《わずら》わされるために出て来たんでもない。何か人間以外には出来ないことを人間にさせようがために、他の生物には持ち合せない力を与えられて、その力があるがために、万物の霊長なんだな、と思った。だが、うかつに返事をすると、ぶんなぐられますからね、インドってェところは。

しかしだんだんとわかって来た。人間はこの世の中に、うまいものを食いに来たんでもなけりゃ、好い着物を着に来たんでもなけりゃ、恋をしに来たんでもねェんだ。それは生きる場合の、ロイヤルロード（＊王道）の道筋にある出来事で、この世に万物の霊長として生れ来しゅえんのものは、エレベーション（高める）という、造物主の目的に順応するためだ。

✣「クワイトウェル（非常にいい）」を朝の口グセに！

「なァ、お前、人間同士なら、使いを頼んで満足にしてくれなかったら、場合によっては免職にもするだろうし、命もとるだろう。しかし、造物主には慈悲がある。健康なり、運命なりの上に、お前の生き方は間違っているぞ、ということを警告するために、病いだとか、不運だとかいうものが出て来るんだ。お前がこの世に生かされて、この後、生命の寿命の来るときまで、本性に立ち返って、エレベーションに順応するという気持の出るまで、お前に悟らせようという慈悲の心で、お前を病いにかけた。どうだ、お前、幸福だろ。」

そのとき私はね。いま話していても涙が出るくらい、声を出して泣きましたよ。

(天風先生は突然、ここで涙声になる。このときに限らず、先生はしばしば、感きわまって泣く、というふうがある。)ああ、そうか。知らなかった。俺はいままで、病いにかかったことを、朝晩、ただ逆恨《さかうら》みに恨んでいた。神も仏もあるものかい、とね。

「病いは病いだ。苦しみは苦しみだ。病いにかかったといってからに、心まで病ませる必要はなかろう。肉体に病いがあろうと、心まで病ませる必要がどこにあるか。そういうときには、心の方が、健康なり運命なりをよき状態に作り直して行かなければならない、その原動力としての存在なのだから、それに捲《ま》き込まれないようにしなければならないじゃないか。お前は捲き込まれどおしだ。無理でもいいから、言って見ろ。俺がお前に、ハウ・ドュウユウ・ドューときいたら、どんなことがあっても、アイ・アム・クワイトウェルと言え。頭が痛いとはどういうわけだ。俺はお前に、お前の気分をきいているんだ。体のことをきいたことは一ぺんもない。いかに汝はあるか、というのは、お前の気分をきいているんだ。お前の体は、今日丈夫かい、ときいたことが一ぺんでもあるか。お前は病人じゃないか。病人であるお前に、お前、丈夫かい、ときくかい。」

それは当り前だ。ききゃしない。「お前の気分はどうだい、ときくのに、いつでもお前は、やれ頭が痛いの、けつが痛いの、すべったの転んだの、一ぺんでも、体は悪くても私の気分は爽やかでござんす、と言ったことはねェじゃねェか。明日の朝から、そう言え。言わなかったら、俺はお前と口利かないぞ。」口を利かなかったら、言葉の分らないこの土地で、この人だけを頼りで来ているんですから困りまっさァ。

最初の中《うち》は馬鹿馬鹿しいような感じですよ。「ハウ・ドュウユウ・ドュー、」「サンキュウ・アイ・アム・クワイトウェル、」情けない声出して。

それが一週間、十日、半年たったら、もう、どこがどうあろうとも、むこうが何にもきかなくても、「サンキュウ・グッドモーニング・クワイトウェル」人間てェものは、こういう事実がわれわれの生命の中にあるんだ。心理学を研究するとわかるんですがね。ある事柄に対して、そこに観念が加わると、観念のダブルページというものが発生する。

⑪ 上ばかり見て下を見ないから、幸せになれない

✣「僅かな喜び」が「大きな喜び」に変わる

これもおわかりにならないだろう。わかりやすく言えばね、悲しいな、と思って泣くでしょう。よけい悲しくなる。これがダブルページだ。腹が立った。こん畜生、と思って、やい、なんて言うと、よけい腹が立つ。

反対に、こんどは僅かな喜びを、非常に大げさに喜ぶと、僅かな喜びは非常な嬉しさになる。片っぽうの方は、あなた方、しょっちゅう経験しているから、わかっているでしょう。それでも、まだわからなかったら、うちへ帰って、鏡を見て笑っ

て見ろ。おかしくも何ともなくてもいいから、誰もいないところで、人がいたら頭が変になったと思われるから。鏡に顔を映して、へへへへ、ウフフフフ、と笑って見ろ。どんなお多福でも、笑い顔は憎いものじゃありません。笑い顔まで憎かったら、死んじまえ。

うちへ帰ってやってごらん。ウフフフ、エへへへへと、人知れずやってごらん。何となくおかしくなるから。おかしいな、という気分を出しただけでも、人間、心の中には愉快な爽やかさが出て来る。あなた方は、愉しいことがあっても、愉しいと思わないいんだから。

実は、今日、この席に来ておられるから、そっちの方へむかないで、こっちの方へむいて話しますけれども、終戦後、間もなくですよ。まだ、ここの会員にならないときに、材木でうんと儲けた。それはもう、友だちが見ても羨しいほど、儲けちまいやがった。そんなに儲けていながら、夜、眠れないの、さァ手が震えるのというんで、医者にかかったら、ノイローゼだと言われた。

それで、いまもいっしょに来ていますがね、その男を紹介した人が。その人は古い会員だ。

「先生、私の友だちにへんな奴がいるんですよ。銭儲けしやがって、神経衰弱にかかっている。」

「面白いね、それは、」

「面白かないですよ。人に会うと、泣き事ばかり言いやがって、」

「連れて来いよ。一ぺん診てやるから。」

私が診るのは、医者のように診察するのではありません。話を聞きながら、精神分析をする。話を聞きながら精神分析をしていったら、こいつ、こうなんですよ、大正十五年に一ぺん、おそろしく儲けた。ところが、昭和五年にガラを食いやがって、ペシャンコになってしまいやがった。いいかい。それが、今度はまた、昭和二十年に儲けたから、またぞろ、昭和五年のときのような、身代かぎりをするほど損しやしまいかと思うと、儲けたことが嬉しくねェと言う。それがもとで神経衰弱。

そこで、私はどなりつけてやった。「馬鹿野郎、畜生め。銭がなくてからに、こまっている人間さえあるのに、たとえ明日の日なくなっても、今日持っていることになぜ感謝しないいんだ。馬鹿野郎。お前なんぞは、世界一の金持になっても、楽しみは出来ないな。楽しみの出来ないのは第二の問題だ。そんな料簡《りょうけん》でいたら、明日にも死ぬぜ。」いまも来ているところを見ると。死ぬことがおっかなかったと見える。もうこのごろは、すっかり料簡を入れ替えちまったがね。

✣夜、寝る前は「昼のことを考えるな」

そんなもんですよ。いまの世の中の人はね。好《い》いが好いと感謝しないんだから、悪いときにはよけい悪くなる。だから、料簡を入れ替えろ。何事に対しても、ああ、私に眼を覚まさせるために、この病いか、この辛さか、と考えるんだ。どうだい。そういう気持をいつまでも持っていられる、いちばん好い方法を二つ教えてやる。

今夜から寝がけに、必ず、寝床の中へはいったら最後、昼間の出来事と心を関係つけさせない努力をするんだ。人間、生きている間、自分がいくら朗らかに生きていようとしたって、はたから来る波や風は、これはもう防ぐことが出来ない。そこが人生だ。けれども、いったん寝床へはいったら最後、どんな辛いこと、悲しいこと、腹の立つことがあったにせよ、それをどうしても考えずにいられなかったら、明日の朝、起きてから考えることにするんだ。

寝ることと考えることをいっしょにしたら、寝られなくなっちまうぜ。どんな頭のいい奴だって、いちどきに二つのことを思いも出来なければ、おこなうことも出来ない。立ったり、坐ったり、いっしょに出来たらやってごらん。出来ないだろう。往きと帰りといっしょにすることは出来ません。たった一つのことしか出来ない筈だ。

寝るなら寝なさいよ。寝床に何しに行くんだ。考えに行くんじゃなかろうが。あそこは考えごとは無用のところだ。一日じゅう、昼の間に消耗したところのエネルギーを、一夜の睡眠、夢ゆたけく眠ったときに、また蘇《よみがえ》る、盛り返る力をうけるところだ。寝ている間、あなた方の命を守ってくれている造物主は、ただ守ってくれているばかりでなく、疲れた体に、蘇る力を与えてくれている。昔から言うだろう。「寝る子は育つ。よく寝る病人は治る。」その力をうけようとする前に、眉に皺《しわ》よせて恨んだり嫉んだり、泣いたりするなんて、罰当りなことはしないようにするんだ、今夜から。

夜の寝がけは、どうせ何も知らない熟睡という境涯に入る前奏曲なんだから、枕を頭につけているときには、心の中を、もう、共同便所の壁みたいに汚くして眠るってェことは造物主の力をうけ入れたいと願っている、人間のすることではない。体に汚れがついていたら、寝床にはいる前に、必ずきれいにしてからはいろうとするだろう。

「おい、おい、お前の鼻の頭に、墨がついているよ。」「有難う。どうせ、明日の朝起きたら顔洗うから、今夜はこのまま寝るよ。」てェ奴はねェだろう。男でも一所懸命、その鼻の頭をこすって、「どうだい、とれたかい、」「とれたよ。」と言うと、安心する。顔についた墨や垢はそれだけ気にするのに、心の上には平気で垢つけて眠るんだよ。あなた方。

夜の寝がけは、それがたとえ嘘であってもほんとうでも、その考えた考え方が無条件に、われわれの潜在意識の中に、すっとはいって来る。そういう作用が、どんな人間にでもあるのです。まして頭のいいあなた方のことだ。これを心理学では、特別無条件同化暗示感受習性という。一ぺん聞いてもわからない。特別無条件同化暗示感受習性。英語で言うと、スペシャル・ラポート。

✣「精神のアンテナ」を変えろ

昼間、起きているときには、われわれの暗示感受習性というものは、われわれが、ああ、いいな、これは共鳴するわ、と感じたこと以外のものは、潜在意識の中へはいらない。

やってごらん。気の弱い奴にむかって、いくら天風会の話を聞きたてだといっても、天風会員でない奴のところへ行ってその話をしてやっても、あなた方のことをきっと笑うだろう。「何さ、あの人。かぶれているよ。狐でもついたんじゃないかしら、」と、決して受けつけない。むこうのアンテナが違うもの。そのかわり、天風会員にむかって、世間の奴らのような弱いことを言ったって、天風会員は受けつ要するに、精神の持つアンテナが違うんだ。

ところが、夜の世界だけは、特に寝がけに、寝床の中へはいってからは、この精神のアンテナというものは、無条件に、よいことでも悪いことでも、もうすべてが、ちょうどあなた方の料簡《りょうけん》と同じように、差別なくはいりこんでしまう。だから、いいことを考えるんだ。嘘でもいいから、俺は優れた人間だ、俺は思いやりのある人間だ、俺は腹の立たない人間だ、俺は憎めない人間だ、俺は焼きもちを焼かない人間だ。こう思えばいい。

それを寝がけに、よけい腹を立てる奴がいる。昼間、亢奮《こうふん》している間は思い出さなくて、寝がけになって思い出しやがって、「あん畜生、あんなことをしやがった。ざまァ見やがれ」もう一ぺん起き上って腹を立てる奴がいる。

夜の寝床の中だけは、神の懐の中へはいったような、おだやかな気持になってごらん。今夜から、寝がけだけは絶対に尊い人間になるんだ。毎晩尊い人間になったからといって、税務署から調べに来たなんてことはない。どんなに体にいい結果が来るか、やってみたものだけが知る味《あじわ》いだ。やってごらんなさい。今夜から。

いまも言ったとおり、何か心にかかることがあったら、あくる朝、目が覚めてから、はっきりした気持で考えるんだ。寝ている間てェものは、体は横になっている。大脳および小脳、延髄、脳髄液は横になっている。横になっている間は、ものを考えちゃいけない。休息の状態だ。だから、寝がけにくだらないものを考えて、心配するてェと、必ず神経衰弱になる。今夜考えなければ間に合わない、などということがあったら、起きて考えろ。そんな火急を要することなんか、ありゃしないよ。まァ、まァ、毎晩、毎晩、やってごらん。それが観念要素に対する、連想行《れんそうぎょう》、とこういうんだよ。

✧「参った」「助けて」「苦しい」と言うなかれ！

そうして、あとは、言葉に気をつけてください。気をつけろ、というのは、絶対に消極的な意思表示をする言葉を口に出さないように。参った、助けてくれ、どうにもならない、苦しい、痛い、という言葉を口に出さないようにすることだ。「もの言えば、唇《くちびる》寒し秋の風、」という。神経過敏の人間の言葉というものは、いつでも、泣きごとか、愚痴か、世迷《よま》いごとだ。

真理によって、人生を生きようとするものは、年齢の如何を問わず、肉がしじらのように裂けようと、骨が砂利のように砕けようと、万物の霊長たる人間としての権威を確保するつもりで、決して、参った、助けてくれ、と言わないこと。天はみずから助くるものを助く。絶対にいけないことは、あなた方はすぐ、神様、助けて、と言う。苦しいときの神だのみ、という喩《たと》えのとおりだ。万物の霊長たる人間が、自分の人生に生きる場合に、神や仏を頼るというような、第二義的な気持を持っているかぎりにおいては、その人間は救われんぞ。

神や仏というものは、頼るべきものではないのであります。神や仏というものは、崇《あが》むべきもの、尊ぶべきものだ。お賽《さい》銭を上げてからに、助けて貰おうなどと、虫のいいことを言うな。

中江《なかえ》藤樹《とうじゅ》の言った言葉にこういうのがあるね。「神や仏は人が助ける。」そうかも知れない。神社でも、寺でも、みんな人間が建てている。神様、仏様が建ててやしない。

宇宙を支配する造物主は、お賽銭をよけいくれたから、助けてくれるというもんじゃないんだぜ。信仰があるから助けてくれるというもんじゃないんだぜ。生れたときに、あなた方はすでに、造物主の仕事を手助けするために、普通の動物に与えられていない力を、豊富に持って出て来ている。それを使ってこそ、ほんとうの人間になれるんだ。

天は天を信じ、神に祈るものを助ける、という言葉はどこにもありません。祈ったり、頼んだりする心が、人間の頭からなくなった時に、始めて宗教は、ほんとうの文化の形態を整えるでしょう。拝むべきもの、崇むべきもの、尊ぶべきものである。だから、どんな場合があっても、宗教を信仰するのは尊いよ。信仰というものは、崇めて尊ぶだけよ。助けをお願いするのは、信仰にならないんだぜ。

信仰という字を考えてごらん。信は実在を信じ、仰は崇むということだ。だから、どんな場合があっても、そんなさもしい気持でなく、自ら、自らを守っていけばいいんだ。ふだん、人生に生きるときに、自分自身が自分自身を守る。一番の心掛けとして、どんなことがあろうとも、自分の生命の状態に対して、消極的な方向からこれを表現する言葉を使わないようにすることだ。

✣怒るな。怒るたびに「あなたの血」が汚れる

私はあなた方にそれを教えている人間ですから、もちろん、終始、自分自身が模範的な存在として、自分の言動に注意しますが、私はどんなに体の具合の悪いときでも、体の具合が悪い、と言ったことはありません。だから、家の人たちが言うでしょう。

「先生が亡《なくな》るときは、きっと、誰も知らないときに死んじまうでしょうね。」

私は二、三日たってから、よく言うことがあるんです。

「一昨日だったかな。少し頭が痛かったね。」

これでは、誰も心配してくれませんよ。もし万一、私が、

「いま俺は頭が痛いんだ。」

と言えば、私を命の綱として頼っている人々は、必ず心配するに違いない。

どんなことがあっても私は、体の具合の悪いことを言ったことがない。私の体を診てくれている医者にきいてごらん。先生はどこか悪そうだ、と家の人たちが言ったとき、

「ご気分は、」

「ごらんのとおり、」

「食欲は、」

「生きているから食ってるよ。」

「夜は、」

「よく寝るよ。」

どこが悪いと言うことを、一ぺんも言ったことがない。医者もはじめはこまった。何も言わないいんだもの。深く問うと、

「あんた、医者だろ。見た目のとおりだ。私が痛いと言っても、助けてくれるどころか、あなた方、心配するばかりだよ。そうだろ。言ったからといって、何も助け

てくれやしないよ。だから、言わないいんだ。」

しょっちゅう、ごらんのとおり、にこにこしている。私は声を荒らげて怒るということはないのであります。

こういう講演をするから、厳格でうるさい人間のように思うだろうが、家の中で一番愛嬌のあるのは私だ。私と家の犬だけだ。私には、この世の中に、命がけで怒るようなことはないもの。怒るたびに血が汚されて来る。そんなことはいやなこった。あなた方の心の中は、探してごらん。彼奴《かやつ》が憎い、此奴《こやつ》が気に入らない。好きな人は少ししかない。とにもかくにも、自分の生命は自分が守らなければならない。そのためにも、いやしくも消極的な、自分の命をスポイルするような表現をしないこと。同時に、それを実行に移す際には、不平不満を絶対に言うなかれ。

不平不満を言うやつにかぎって、下を見ないのです。上ばかり見ている。世の中には俺より仕合せなやつがいる。俺より悪いことをしやがって、儲けているやつがいる、とかね。

それで、自分が一番、何か恵まれていないように思うけれども、静かに下を見てごらん。食うにこまっている人間はどれだけいるか。病人で、いま死のうとしている人もいる。監獄でもって、働いている人もいる。世界のどこかには、死刑の宣告をうけて、いま首を絞められている人もいる。それを、暑からず、寒からず、いわんやまして、世界中の医師階級が求めていて得られない、こういうユニークな人生講話を聞いている、この幸福を考えたら、何も言うことはないだろう。

✣何事に対しても「現在感謝」の心

ただ、明けても、暮れても、有難い、嬉しい、でもって送れる筈だけれども、あなた方の煩悶《はんもん》は、たいてい、自分が望むものが得られないときに起って来るんだ。そうだろうが。自分の欲望がみたされないときに、必ず煩悶が起るんだ。自分に甲斐性がなくて、それを自分のものに出来ないときに、それで煩悶するてェのは、なんてェこった。一番いいことは、もしも自分の望むものが自分のものにならなかったら、現在持っているものを価値高く感謝して、それを自分のものにしてゆきなさい。

こういう心がけで自分の人生に生きてゆくと、心の中の煩《わずら》いというものがなくなっちまいます。何事に対しても、現在感謝。ああ、有難い。何に対しても現在感謝。それより事態が悪くなっても、喧嘩にならないじゃないか。病いになっても、ああ、有難うござんす。

病いになっても有難いというのはおかしいじゃないか。だって、死んじまわなかったんだろ。それよりも、まだ悪くなっても、どこにも尻を持ってかれやしない。俺をこんな病いにかけやがって、俺は総理大臣に談判する、と言っても駄目だ。だから、いまより悪くなっても、どこにどう尻の持って行きようもないのだから、それで済んでいると思ったら、感謝したらいい。そういう気持を持っていると、どんなことがあっても、憂いとか辛いとかいうことがなくなるんだ。朝からしょっちゅう、にこにこ。何事に対してもにこにこ。あなた方は、なかなか有難がらないね。当りまえだと思っている。

この間うち、淡路島に行っていた。朝、宿の女中が、

「まァ、もったいない、先生。お客さまがそんな、お床なんかたたんで、」

「冗談こけ。ゆうべ一晩、ゆっくり休ませてくれたこの布団に、お礼を言っているところだ。」

気が違ったと思っている。私が布団をたたんで、有難うございました、と言うものだからね。

宿賃出したからには、この布団を敷いたりたたんだりするのは当りまえだけれども、私のように、ながい間、軍事探偵をしていて、森の中や林の中でもって、何も掛けずに、何も敷かずに寝ていた経験をもっていた人間からみるってェと、現在の生活は、ほんとうに有難いですよ。それをあなた方は、有難いとは思わないんだから。金やって使ってる人間がするのは当りまえだ。礼言うどころか、働き方が悪ければ、すぐ叱りつける。

まア、とにかくも、もう少し気持の中を鷹揚《おうよう》なものにしなさい。出来るんだから。嘘でもいいから、好《い》いことは嘘でもいいから、真似《まね》すればいい。真似するくらいのことは出来るだろ。真似しなさい、というんだから出来るだろう。ほんとうにはとてもなりきれないだろうから、真似しなさい。腹が立った場合にも、修養の出来ていない人間は、こういうときに腹が立つだろう。そこが、天風会員だ。こういうときに、腹を立てちゃいけないんだ。ああ、そうだ。嘘でもいいから、腹を立てまい。真似でもいいからさ。これでいいじゃないか。では、今夜はこれで、みなさん、ご機嫌よう。

4章

これが「大きな幸福が訪れる人」の生き方

⑫ お金があって幸福な人、不幸な人

✣「幸福な人生を生きる人」は、一目でぱっとわかる

みなさん。ご機嫌よう。実はこの芦屋という市は、日本の各都市において、比較のうえにおいて、富める人の多い住民を、よけい持っている市であります。今度、来年の七月までには（この講演は、昭和三十四年十月に芦屋市で行なわれたものである。）二億以上の金でもって、素晴しい市役所が出来るというんで、さっき、その模型図を見てきたんですが、多々ますます発展して、「まず、あれだろうな、この新しい市役所が、これで間に合うのは、せいぜい十年だよ。十年たつと、もう三

億も出してからに、この倍くらいのものをこしらえなければならんようなことになりゃしないか。」と言ったら、「いや、そうなると思っています。」と市長さん、会心の笑みをもらしておられたが、それぐらい発展して、しかも、これも芦屋市民の誇りの一つとして、大いにプライドとされたいことは、外国人が日本に来て、都市研究や都市視察をするのに、どこを一番に目ざして来るか、東京か大阪か、特別なエイム（*目的）を持って来る場合は、東京都、大阪市というふうに来るかもしれません。

しかし、都市の完全設備の研究をするのには、その住民の、要するに、心理現象をまず第一番に調査しなければならない。その調査をするのに、一番好適な町は、なんとこの芦屋だと、こういうふうに考える考え方を、アメリカ人やヨーロッパ人は持っているのでありますぞ。

その誇りある目標にされている市民の中で、特に、人生を考える人々がここに集っておられる。べつに芦屋市をおだてるわけでもなんでもないんですよ。事実がそうだから申しあげておるんだ、ねェ。それは結局、この町が、ほかの都市に比較して、非常に富める人が多い。町全体がリッチだと言っていいのであります。さあ、そこで、すぐに考えていただきたいのは、町全体が富んでいる芦屋市民諸君は、日本のどの都市の市民よりも、比較においてですよ、非常な幸福を感じておられますか。ノーでしょう。いいえ、でしょう。顔を見ればすぐわかる、私には。

四十年間、毎日毎日、夜となく昼となく、こういう高いところへ乗せられて、もっとも、自分から進んでやっている仕事ですから、喜んで乗りますけれども、昔は三尺高い木の上に乗るのは、この世最後のときです。

それで、ずらっとお顔を拝見すると、すぐわかります。あなたがたの方から見ると、私の顔が一つしか見えていません。けれども、私の方から見ると、ずらり、みなさんの顔がはっきり見える。まァ、今日はそういう人はいませんけれども、この間、東京の講演のときには、(先生はこの種の話をするときに、いつも、大阪の場合には東京では、と言い、東京の場合には大阪では、という。)一番うしろの隅に坐っている人が、一所懸命なにか食べている。帰りがけに、「さっき召しあがってたのは、何です。」と言ったら、「いいえ、お弁当食べずにきたものですから、時間に遅れちゃ大変だと思って、ここへ来て、お話きいているうちにお腹が減って来たもんですから、食べたり聞いたりしてました。」

女の人でしたが、このせつの女の人は勇敢だ。お握りを食べていた。東京では、このごろ、お握りを一個三十円で、三つ包んでからに、九十円でどこででも売っていますものね。そのような状態も、はっきり見えるんであります。ですから、ああ、あの人はほんとうに幸福な人生を生きておられるわ、という人は、一目でぱっとわかります。

これがやがて、ご縁があって、私と師弟の間柄になりますと、この肉眼でその人の顔を見て、その顔から、いや、顔の中の眼からと言いましょう。眼からその人の心の状態が、ある光となって出ているのであります。ルミエ・オブスキュルと申しまして、見えない光、この見えない光が見えるような、生命に特殊な仕掛けがありますからね。すると、あ、この人はいま心配しているな、悩みがあるな、いや、いや、安心しているな、朗らかだな、ということがわかるのであります。

こんな、始めての方がおられるのに、遠慮のないことを申しあげて相済みませんけれども、さっき、ここに出るまでは、今日の演題は、芦屋の市民諸君にしっくりするかしら。演壇に立って、ぱっとみなさんの顔を見たら、みんな幸福だってェことになると、これャァ、演題を変えなきゃならんぞ、という気持がかすかながら私の心の中にあったんですが、ここへ来て、ぱっと見て、ああよかった。これはやっぱりおあつらえむきの顔だ。おあつらえむきの顔と言っちゃァ相済みませんけれども、誰々さんと指はさしませんけれども、何とはなしに満たされないような、報いられないような、嬉しくないような人生に生きている方のほうが多いようでありますす。

多いようであります、というのは、これはお世辞なのよ。多いのであります。中には、人も羨《うらや》むようなぜいたくの出来る身分の人も来ておられる。ね、ご自分はお持ちにならなくても、ご主人の名誉や地位の高い人もおられるでしょう。そんな人たち、どうです。決して、真の幸福なんて、だいそれた、そんなこと一ぺんだって味わったことはないでしょう、お互いに。金持が幸福ならば、これは、人生てェものは、金さえ出来ればみんな仕合せになれるんですから、それ以上、何も研究する必要はありません。

✣「日本一の大金持」の心の中

私の親しい友人に、終戦前まで、日本一の金持といわれました男爵、岩崎久弥というのがおりました。死にましたけれども、もう。これが、とにかく、日本で一番の金持ですから、湯島の天神の、有名な『婦系図《おんなけいず》』の、あの筋向いの角の家が、男爵の家でした。はたから見たならば、仕合せな男だ、と誰でも思うでしょう、これはね。手形の心配もいらなきゃ、相場がどんなに上り下りしようが、ビクともしない、盤石《ばんじやく》のような、巨万の資産の上にどっかりと胡座《あぐら》をかいてりゃァ日々がすごせるってェんですからね。

ところが、当のご本人、どういたしまして、私に会うたびに、出るのは愚痴だけ。「ねェ、おい、中村、俺は生れそこなったたい。こんな家に生れたばっかりによ。生れてから今日まで、俺は一人でもって自分の思うことをしたことはないよ。どこに出るんだって、しょっちゅう五人、十人ぞろぞろくっついて来るだろ。俺があれを買いたい、これを食いたいと言っても、買うことも出来なきゃ食うことも出来ない。いいえ、ね、家ん中にいてね、ちょいとトイレに行くんだって、すぐ二人くらいついて来る。お前が大名生活をいやがってからに、家を飛び出した気持わかるよ。不自由なもんだね、人がついているのは、そりゃね、俺んとこには金はあるかも知れないけれども、その金、なんになる。使わない金があったって、絵に描いた餅と同じことじゃないか。」

そしたら、奥さんが、

「そうでございますよ。私でも、ダイヤの指環だけでも五百持ってますよ。」

「えッ、五百。東京中に指環の一番たくさん置いてある服部《はっとり》あたりへ行ったたって、そんな数はないでしょう。見せてくれよ、一ぺん。」

大きな洋服箪笥《だんす》みたいなものを、家令が二人でもって、蔵から持って来た。抽斗《ひきだし》が一ぱいついている。中には英国の女帝エリザベスの持っている、あのダイヤの次のダイヤ、親指の頭二つくらいの大きさのダイヤ。そしてこの人、ダイヤのちりばめたものは指環だけかと思ったら、どういたしまして、首環がある、胴環がある、膝小僧のところにはめる足の環がある。

「これは買ったんですか。」

「買ゃァしませんよ。みんな、社員だの、あるいは外国からお客に来る人が、お土産に持って来るんですよ。」

金があるってェと、いろいろ金のある奴と連絡をつけたいために、贈り物を持ってくるんでしょうね。そして、当の本人は、日本一の金持でありながら、家にいるときには、銘仙の着物でいる。明治三十年頃、服部時計店でその時分、二十五円で買ったという精工舎《せいこうしゃ》の時計を持っている。

「なんぼなんでも、そんな時計なさらなくたって。」

「これつけてると、おじいさんと一緒にいるような気がしまして。これ、狂いはないんですよ。」

と笑っている。この人たち、これで満足してるんです。とにかく指環なんか、ざらざらッと豆をこぼすように抽斗の中にはいってるのに、奥さんは指に一つもはめ

ていない。なぜかときくと、

「そんなものはめたら、ちょいと用をするんでも、ひっかかって邪魔になります。親から貰いましたこの五本の指で結構です。」

旦那がしがないサラリーマンで、五万か六万ぐらいしか取らない月給取りの妻君が、三十万、四十万という指環を、どこから持って来たお金で買ったかな。よけいなこってすけれども、ああいうのが汚職の原因じゃないかと、よけいなこってすけれども。あの奥さん、もう亡くなりましたかね。あの指環、どうなったかしら。別に考える必要はないけれども、あなた方、考えやしないかと思うんだ。どうなったの。どうなったでしょうかな。豆のように、だあッとあったんですから。

✣「十本の指に五百個の指輪」の話

これが持つ者の悩み。こういうと、あなた方、たとえ一日でも好《い》いから持ちたいや、というでしょうが、持ったってあまり多過ぎると、はめる気がしなくなっちゃ

います よ。指は十本だけです。足の指まではめてからに、二十本。五百あるんです。どこへはめますか。何にも役にたたないものを持っているくらい、骨の折れることはないでしょうな。

男爵の方は、また、死ぬまで、自分の居間が二十畳で次の間が十畳くらいでしたが、その中に朝から晩まで、ただいただけでした。重役会議にも代理をやって出やしないしね。その部屋の中に、朝から晩までいた。ちょうど高級な飼犬と同じことです。繋舎《けいしゃ》の中から出られない。それを笑ってやったことがある。きれいなコリーを奥さんが飼っている。コリーは書生が散歩につれて行くとき以外は、そとへ出られないわけです。「この方が仕合せだよ。出て行かれるから、」と言って、笑ってやったことがあります。結局、死ぬまで、この繋舎の中から自由に出られない。

いかがです、あなた方は。いま、貧乏でもって、お金のない人、この中にも一人くらいいるでしょう。この人を岩崎同様の身分にして、そのかわり、ここからどこへも出ちゃいけない。二十畳の座敷の中で、朝から晩まで、うろちょろ、うろちょろ。あなた方が理想とする金は、使うそばから殖《ふ》えてきて、何に使っても誰もどうとも言わないし、どんなに儲けても税務署は来ない。

したい三昧のぜいたくが出来ることを目標とした金がほしいんでしょう。そんな金は、どんな努力をしても絶対に死ぬまでふところにははいりません。そのはいらないものを心に描きながら、そうなったら幸福だろう、幸福だろう。何が幸福なものですか。

私も王侯以上のぜいたくをする身分を、約二カ月間、味わいました。それは辛亥《しんがい》革命に孫逸仙（孫文）が起ち上ったときに、ちょうど私はインドから帰りがけでした。上海で当時の中国公使の山座、これが修猷館《しゅうゆうかん》の先輩で親しい間柄でもあり、ちょうど幸いだから、ひとつ革命に加勢してくれないかというので、日本に帰る旅程を、特に孫《そん》のために助太刀をすることになりました。ご承知のとおり、孫が中華民国の大総統になったものの、北京政府に妥協して大総統の地位を袁世凱《えんせいがい》に譲った後、再び袁世凱の独裁が始まってました。山座は特命全権公使として北京にあって袁世凱政府を牽制していたわけですが、私は政務顧問という地位を与えられた。

北京へ行って、あのご承知の紫禁城《しきんじょう》へ、朝の九時に、十人の人がかついでいる輿《こし》に乗って行くんです。前に四人、後に六人、十人ですね。前の方が柄が長くなっていて四人、後の方が柄が短くなっていて六人。四角の輿でありますす。二十町ばかりあるところを、輿の中に乗ってからに、作りつけの人形みたいに、まっ直ぐに向いていろ、横むいちゃいけない。これが第一、大きな苦痛でしたよ。

そこで不思議なことが一つあった。四尺四方くらいの、真《ま》四角な輿のすみに、溲《し》瓶《びん》がおいてあるんですが、これが如何《いか》に。

紫禁城にはいるまでは、横むいてもいけないよ。真正面をむいていろ。それなのに、溲瓶が何のためにある。途中で、肉体が生理的要求の状態になったときに、立ち上って溲瓶を利用するわけにはいきませんわ。溲瓶があるからといって、まっ直ぐにむいてろ、というんですから。そうして、きれいなカーテンが四方にめぐらされているが、中はまる見えだ。すまして乗っている奴が、急に立ち上って、あのシナ服の前をあけて、部屋の隅においてある溲瓶にシャーシャーやり出したら、これはおかしなもんだろうが、した者もないでしょうけれども、何の必要があって置くのか。そうしたら、これは、シナの、必ず輿の中へ入れておかなければならない、何千年来の、一つの礼儀だ。

✣「紫禁城で王侯貴族のように暮らす」

妙な礼儀もあるものですな。その当時のシナの家庭生活は、ご承知のとおり、客間に、レディのために特に、お手水《ちょうず》をする金盥《かなだらい》がおいてありましたね。このごろはどうか知りません。もうこのごろは、世界の先端をゆく共産国民ですから、まさか、そんなことはないでしょうけれども。真鍮《しんちゅう》のピカピカ光る、そそっかしい者が見るってェと、底のちょっと深目な鍋に見える。日露戦争当時、あの器が便利だと思って、あれでもって、すき焼きをして食べた奴がある。話がへんな方へ行っちゃいましたが、世間話をしていてよ、初対面の場合にでもですよ、そのレディが尿意をもよおすと、失礼、ともなんとも言わないで、ごめんあそばせとか何とかいうならとにかく、全然なんとも言わないで、すうっと部屋の隅へ行って、向うむいて、その金盥へしゃがんじゃう。シナの服ですから、やっている局所は見えませんけれども、音がするんですよ。せめて、紙でも敷いてやればいいのに、派手な音がするんですよ、真鍮ですから。それで平気な顔をして、用をたして、こっちへ来て、また話をしている。馴れているから、平気なんです。始めてこの光景に出くわしたときには、私はびっくり仰天しましたよ。

とにかく、溲瓶《しびん》のはいっている輿《こし》に乗って、紫禁城《しきんじょう》へはいるとね、またシナの椅子てェ奴が、安楽椅子じゃないんですからね。ちょうど学校の椅子のように、かちんとなってる奴でしょう、紫檀《したん》の。あいつに、とにかく行ってからに、冗談口ひとつ利かないで腰かけているんですからね。一応、全権公使の次に偉い、政務顧問ですから、お世辞のために挨拶に来るところの役人たちに、うん、うんと言ってれゃいいんです。

そうして、左右には目の覚めるような別嬪《べっぴん》が三十人くらい。仕合せな男だな、とおぼしめすだろうけれども、仕合せだと思ったのは、行ってから二日か三日。あなた方も一ぺん、味わってごらん。きれいな女が三十人もそばにいたんじゃ、どうにもならないから。それが、静かにしてるんなら、まだ始末がいい。女なる人類は、日本は別としてからに、シナの人類は、まァ、うるさいの、うるさくないの、それはむら雀が囀《さえず》るごとく。それがね、ただ単に囀るんなら、まだしも我慢が出来るが、私を慰めんがために、あのシナのキーキー声をさかんに出して、歌をうたって見せる。

そうして、えへんと言えば煙草、おほんと言えば紙、というふうに、至らざるところなき、微に入り細にわたってのサービス。これがまた、うるさくてしようがない。そうして、三度三度のご飯というものが、贅《ぜい》をつくしてからに、ゲーッというものばかり食べさせられる。たまには沢庵《たくあん》の、野菜かなにかで、お茶漬けのひとつもサラサラとやりたいんだけれども、そうはいきません。北京料理だから。

✤幸福か不幸かは「あなたが決めること」

なんと因果な身の上になっちゃったんだろう、と思ってね。私はそれまでに、なんべんも戦《いくさ》でつかまって、最後には死刑の宣告まで受けるような、土壇場《どたんば》に追い込まれた経験がありますので、監獄にも何べんもはいっておりますが、監獄にいる方が、はるかに自由です。監獄にいりゃ自由が利くもの、監獄の中だけはね。凄いわ、これはほんとうに。あんまり人間、宜《よ》くなっちまうと、実に始末にいかないもんだよ、不自由で。

ですから、さァ、それから孫文が再び蜂起したのを助太刀したが失敗して孫文も亡命して、私はシナ人になって日本へ帰って来た。舞子の八角堂（この建物は現在、財団法人孫中山記念会が管理する、国指定重要文化財移情閣として、孫文記念館になっている）というのがありますね。あそこに半年いたんです、シナ人で。このときは一番楽だったな。金はふんだんに持ってくるわ、誰も制裁を加えるものはないわで。この二十日の日ですが、久しぶりに堂の中へはいって、中を見せてもらって、昔とちっとも変らない。思い出の深いものばかりあるので、思わず涙が出た。あんときは、一番楽だった。命の危険を感じる必要もなくてね。

そういう話をしても、あなた方は、それでもそういう身分がいいわ、とおぼしめすかしれないけれども、幸福というものは、決して、現在の自分の環境が変ったとか、あるいは富の程度が変ったからということで感じるものではない。なぜかというと、幸福というものは客観断定にあらずして、主観の断定にあるからです。はたからどんなに幸福そうに見えてもそれは幸福とは言えないんですよ。本人がしみじみ、ああ、私は仕合せだと思えないかぎりは、ほんとうの幸福を味わうことは出来ない。それはちょうど、はたから見て、あの人間は金がありそうだな、と見えても、本人に金がなければ何にもならないでしょう。はたから見て、あの人間は丈夫そうだな、と見えても、本人が丈夫でなかったらなんにもならないのと同じことです。

✤「あなたの外」に幸せはない！

それが結局、多くの人に考えられない。何か、こう、金とか富とか力とか、あるいは健康とかいうものが、自分に与えられたら、すぐ幸福がやって来るように思っている。とんでもない。

イマヌエル・カントという哲学者がこう言ったでしょう。「幸福は物に求むべからず。心に求めよ。」お前がほんとうに仕合せになりたかったら、心の中に求めなければ駄目だ。

これと同じような難しい言葉ですが、二千年の昔、孟子という人が、孔子の弟子に、有名な孟子という人がいましたね。おっ母さんが三度引越しをして、三度目に学者の町に引越したばっかりに、大変な偉い人間になった。あの孟子が、「豈《あに》敢えて更にまた何をかこれを心外に求めんや。」

漢文ですから難しいです。何もねェ、あくせくしながら、何の必要があってお前は幸福を心の外に求めるんだ。こういうことなんです。同じような意味をさらに、これはもう、若い方々が一度は読んだであろう、「青い鳥」の作者、メーテルリンクがそう言っています。

幸福の鳥は、山や林や野にはいないぞ。そんなに、眼を皿のようにしてからに、家のそとばかり探したって駄目だ。幸福の鳥は家の中にいる。お前のところの、軒端につるしてある鳥籠の中にいるだろう、というのが、あの有名な、誰でも一回は読んだであろう話なのです。

これも結局、要するに、幸福は物やあるいは相対的な現象の中にあるのではなくて、お前の心の中にあるんだぞ、という意味です。まことに峻厳《しゅんげん》犯すべからざる宇宙真理であります。はたから見て、どんなに幸福そうに見えても、あなた方の精神生命のあり方が、根本的に切り替えられないかぎりは、幸福は来ないのであります。さァ、そこで、どうすればこの精神を切り替えることが出来るだろう。これが、きょうの私のこの講演の眼目なのであります。

⑬ 中村天風が語る「自分の人生の生き方」

✣ 生き甲斐のある「男としての仕事」と出合う

ほんとうのことを申しあげると、私も、ただいま、あなた方に申しているような、幸福に対する消息なぞ、これから先も知らなかった人間の一人であります。

中年まで私は、きわめて恵まれた人生を生きていた男であります。恵まれた人生に生きていた証拠には、すこしも幸福をねがってはいませんでした。幸福をねがっていなかったのは、不幸でなかったからであります。幸福になりたいなァ、幸福になりたいなァと思うのは、必ずや、それを望む気持の中に、不幸があるためです。

恵まれきってる人間が、なお幸福を念願するのは、よほど度外れな欲張りでないかぎり、ありゃしません。ですから、私は、何ら不幸を感じない。心の中に何事も、煩いもなければ、悩みもなかった。ですから、普通の人がちょいと聞くと、いったい全体、どういう、まァ、気持からか、行けば完全に生きては帰れない筈の、軍事探偵なんかに、二度もなったりしたんだろう。

もっとも、中には、軍事探偵などというと、若い娘さんなんかは、X27（＊19 31年公開のアメリカ映画『間諜X27』による）、たいていあいうようなことを思い出すだろうけれども、日清、日露戦争時代のスパイは、そんなぜいたくなスパイとはわけが違う。第一、あの当時の姿というものは、もし、ここにいたら、あなた方は、十間も二十間も離れて、容易にそばにも寄らなかったろう。体中、虱《しらみ》だらけ。頭の中にまで虱がいっしょに生活している。

苦力《クーリー》の姿に身をやつして、明治三十五年の十二月九日に日本を出ましたから、その当時、国民のすべては、日露の間に戦端が開かれるとは誰も思ってもいなかった。それから明治三十九年の二月十一日、戦争が終ったあとの、翌年の紀元節まで、一ぺんも風呂にはいったことはないのです。風呂になんか、はいりゃしませんよ。第一、屋根のある下へ寝たのが、足かけ五年の間、さァ、三カ月とはないでしょうな。もう、たいていは森、林、蒙古《もうこ》の奥の穴の中。森から出て、屋根の下へ寝たとすれば、羊の小屋か、豚小屋。

それでもちっとも私は、心にそれ以上の生活をねがう気持が、これから先も出なかったのは、この生活を私は、不平不満もなく、いわんやまして、不幸にも感じない。ただ、生き甲斐のある、男としての仕事だなァ、とそういう気持だけだった。ですから、死刑の宣告を受けてからに、断頭台に立たされたときにも、男一代の最後の名誉のときが来たんだな、としか考えなかった。恐しいとも情けないとも、これから先も考えなかったのであります。

✣「俄然、私の心の中には、大きな変化が起こってきた」

それくらい、きわめてのんびりと生きていた私が、戦争が済んでから、病いにおかされて、俄然、私の心の中には、大きな変化が起って来た。あれほどまでに恵まれすぎた生涯に生きていなかったならば、こんな、ショッキングな気持が起る筈はないのです。

その点、私の前半の境遇が、はたから見ると幸福のようで、私自身としては、ある意味においての、不幸だったのかもしれません。人間の、これは運命ですから。生れたとき、乞食の子として生れるのも、大名の子として生れるのも、自分が生れようと思って、注文して生れて来たわけじゃない。私も、こういう家に生れたんだな、とものごころついてわかったのは、三つか四つのときです。

その当時はまだ、明治維新になってから、九年と経っていないときに生れたんでですから、明治十一年か十二年くらいです。まァ、ご年配の人でないとわからないけれども、ちょうど昭和二十年の八月十五日に終戦と同時に、国内の一切すべてががらりと変ったでしょう。主権が天皇からわれわれ庶民に移る。国内のすべての制度に、大きな変化があった。

いまはもう、そんなことを考えている人はないでしょうけれども、あの当時は、また再び主権を天皇に返して、ありし昔のごとくに、軍閥華やかなあの時代がきっと来るよ、そう思っていた人が多かったでしょう。それと同じように、明治維新のあの直後は、またぞろ再び、徳川が天下をとって、天皇は再び京都へ幽閉同様にされる時機が来る、と思い込んでいた時代だ。そこへ私は生れた。私の親爺は柳川藩主の一門の出で、それまでの大名は華族に変ったんです。華族となった一門の家に生れたんですから、おんば日傘で育った。

ところが元来、私の性格がそういう生活を嫌っていた。十六のとき、日清・日露のある有名な軍事探偵から、一人の屈強な若者を欲しいという話があったと聞いて、私はよろこんで飛び出しちゃった。私はつくづく、大名華族の生活に嫌気がさしちゃったのであります。つまり、人間の心の中には、つねに自由を求める心があるがためです。そうして、とにかく、中年までの探偵の生活は、ほんとうに私の一番住みよいところ、働きよいところだったのが、戦争が終ってから、突然、奔馬性《ほんば》肺結核という奴にかかっちまった。

医者のみが知る、同じ肺病の中では、恐しい肺病であります。馬が駈け出すように早く悪くなっちまうから、奔馬性肺結核。その当時ですから、そんな名前をつけた。どんどんと肺が、蝋燭《ろうそく》のように溶けていってしまう。大喀血を私は三十八度もしたんですよ。もとより、命を助かりたいという気持よりは、毎日、瀕死の病いから来るところの、形容できない、肉体の感ずる病苦の感覚。この中には、そんな苦痛を味った人は一人もいませんでしょうけれども、いずれか、この世を終るときには、一日なり、二日なり、一週間なり、お感じになるでしょうから、この際言っておきますがね。

✣最終ページで起きる〝不思議な現象〟

いよいよ、人生の全ページが終ろうとすると、不思議な現象が起って来るんですよ。眼が見えなくなって、耳がバカに聞えて来る。いま、どんな補聴器をあてても聞こえないような聾唖者でも、死に目が近くなるってェと、二た間、三間おいて内緒話をしているのが聞こえるようになるのよ。だから、重病人のある家では、絶対に内緒話をしてはいけない。そのかわり、眼は眼の前に人が来ても見えず、おらない人が立っているように見える。いわゆる幻覚。それから、もう一ついやなのは、体がしょっちゅう、宙ぶらりんになっているような気がする。

この間、九州旅行したときに、博多の宿屋で布団を、特別なお客だというんで、そいつを三枚重ねやがった。こーんなに高くなっちまって、どかァんとはいったら、俺、どこにいるんだい、というふうに。そのとき、あっと思ったのは、重態におちいったときの、あのいやな気持だと思って、すぐ上の一枚だけ畳の上に敷いて、そこへ寝ていたら、女中がはいって来て、

「まァ、どうあそばしたんでございますか、」

というからね、

「いや、せっかくだけれども、嫌《きれ》ェなんだから、かんべんしてくれ、」

「どなたでも、これがとても寝心地がいいとおっしゃいますけど。」

「ああ、寝心地のいい奴にしてやれ。俺はご免こうむるから。」

ふわあッとしている。そんな気持なんですよ。重態になるってェと。ふわあッと

いってもわからないでしょう。霞か雲に乗ったようです。そうして、脊椎のお尻のところまで、尾骶骨《びていこつ》まで、まっ直ぐにいっている脊椎が、ブルッ、ブルッ、しょっちゅう震えている。こんにゃく屋になったようです。そのまた、気持のよくないこと、いやなこと、気味の悪いこと、それは、もう、ね。それがのべつです。

そうして、その上に神経がとんがらがっていますから、脈がときどき、トコトコ、トコッ、トコッと切れるのがわかるんです。そのときの、ググッ、ググッと心臓がいまにも止まりそうな、いやな気持が、これが連続しているでしょう。そうして熱が、午後になるってェと、九度五分ぐらい、平気で出て来る。そうして、夜、いくら寝ようと思っても寝られやしない。

私は寝ることは名人だったんです。「明日の朝、七時になるってェと、死刑の宣告でもって、お前はやられるんだぜ。」と牢番が知らせにやって来たときも、

「そうか、それじゃ、ゆっくり寝よう。」

「ゆっくり寝ようって、明日の朝、お前は殺されるんだぞ。」

「寝るのと死ぬのとは違わい。」

その晩ゆっくり寝て、非常にみんなにあとから褒《ほ》められたぐらい、私はね、寝ることがきわめて名人だったのが、寝られなくなっちまった。寝られなくなったというのは、つまり、肉体の方がそうなっちゃっているんですから、いくら寝ようたって、寝られやしません。その寝られないことによって、来るところの支障は、病気の方から来る生命の消耗と二重になって、私を苦しめる。

ですから、死ぬんなら早く死んじまえばいいのに、なんでいったい全体、俺をこんなに苦しめなければならないんだ。たいして俺は、悪いこと一つもしてねェじゃねェか。人間てェ奴はね、曳《ひ》かれ者の小唄とはよく言ったもので、泥棒にも三分の理があるってェますがね、私はね、頭から何にも悪いことしたことはないと思った。おのれのしたことは、無類それ以上のことをしたと思っている。普通の少年や青年が、その齢ごろに味わうような、楽しみも遊びも何もしないで、十六のときから、日清、日露の両戦役を通じて、微力ながらお国のために尽くそうという気持で、俺は満州や蒙古の奥に、孤独の淋しい生活を続けながら、いつなんどき、命が敵によって奪《と》られるかわからない危険な生涯を、敢て承知のうえで働いて来た。何を俺が悪いことをした。

✧「この世に神も仏もあるものか」と思ったとき

それは泥棒もした。詐欺もした。それは、お国のためにしなければならないことだから、軍事探偵に、泥棒するな、詐欺するなと言ったら、軍事探偵を止めっちまわなきゃならない。軍事探偵というから、何かあなた方、派手に聞えるけれども、詐欺して、泥棒することだけが、軍事探偵なんですよ。あきれた顔して、私の顔を見られても、私こまりますけれども、したことはしたと申しあげますよ。だって、国際法上、疑わしきは殺せ、というんだから。いまの日本の刑法は、疑わしきは罰せず。ところが国際法だけは、スパイらしいな、スパイじゃないかな、と思ったら、うむと言わせず、調べる必要はない。すぐにポンと殺せばいいわけです。

ですから、能《あた》うかぎりの手段で、いわゆる自分が軍事探偵であることをカムフラージュする、つまり詐欺しなければならない。苦力になってみたり、大道商人になってみたり、豚買いになってみたり、これ詐欺ですよ。詐欺とは詐《いつわ》り欺《あざむ》くと書く。そうして、泥棒はもうしょっちゅう。敵情の偵察。敵の軍備の状態の一切をこちらに、そのままを司令部に報告するように、調書をしたため、特に重要な秘密に関する書類や地図類は、能うかぎりの手段を講じて、それをこっちにちょうだいしなければならない。

ちょうだいするという言葉は非常にきれいな言葉ですが、ふんだくるんでありますから。ね、ふんだくらなければとれやしないもの。「恐れいりますが、手前は日本のスパイでございますが、お客様の持っていらっしゃるこの地図ですがな、これはどうも、日本の方で欲しいんでございます、ちょうだい出来ませんか、」なんて言ったら、一ぺんに殺されてしまいます。

私のこの五年間に、こんなことは自慢にはなりませんけれども、加藤清正以上に、人を殺した数は多いだろうと思います。ですから、私のことを人斬り天風だと言った。ほかに取りえはないが、そうだな、人を斬ることだけは、普通の人間が魚を切るよりも上手だなんて。つまらないことを自慢させられちゃって、そんな時はべつに、顔は赤くはならないけれども、こまったな、と思います。やむにやまれずなんだもの。

秘密書類が本箱だとか本棚だとか、いれものに入れてありゃ、これはことは済みます。それだけちょうだいすればいいんだから。たいていの秘密書類という奴は、むこうの当該軍人がポケットの中に入れちゃいますので、これがこまるんですよ。それを、こういう大勢の中で、てんやわんややっているなら、それを抜きとることも出来ます。これはね。戦地へ行くまでに、陸軍大学のスパイ養成室でもって、みんな教わるんですよ。ですから、私は食うにこまったら、そいつをやればすぐ食える。

さすが、まァ、先生はなんでも出来るわ、と言われたけれども、スリと泥棒が出来るとは言われなかったので、よろこんでいましたけれどもね。いま、考えると。さあ、人のふところの中にあるものをちょうだいするんだったら、どうしたってその人に、無条件でこっちに渡してくれるような状態に、なってもらわなければならないでしょう。そのときには余儀ないことですもの。ちょいと息の根、とまってもらわなければならない。

　こんなやさしい顔をして、そういうことをやって来たんですよ。昔のことだから、どうぞご勘弁を願います。それを、大きな罪悪だということを、私は知らなかった。お国のために、いいことばっかりした人間じゃないか。その人間が、大したご褒美《ほうび》もいただかないで、戦争がすんだあげくに、病いにもことによりけり、こんな醜い病いに俺をかけるとは、この世に神も仏もあるものか、と思った。

✦自分の体を治す「最善の法」

　とにかく、死ぬことよりもつらい苦痛に耐えかねて、死ぬなら死んじまえ。けれども、死ぬまでにこの苦痛をすこしでも軽くしてくれる人が、これだけ広い世の中に、生命に関することを研究している学者も多いんだから、一人くらいはいるに違いない。これで、まァ、学問ぎらいの私が、それからは偉い人の本ばかりでなく、学問を重んずる人間の生命に関する本は、片っぱしから読みました。そうして、医者にならなければ駄目だ、と思った。結局、要するに、人を治す医者になるつもりで医学を勉強したのではなくて、自分の体を自分が治すには、自分が医学を習うにかぎる、と思ったわけです。

私の兄貴も医者、弟も医者、兄貴は北里伝染病研究所の細菌部長をしておりました。もう両方とも死んじまいましたけれども、彼らが二人かかって、医学の力で私の病いを治そうとしても治らない。治らないのは、結局、要するに、病いになっているのが、自分でないからであります。自分の体を自分で診ることが出来ない以上は、医学は相手方の体の中まではいって診ることは出来ないから、治らないのは当然だ。

そこで、兄貴のようなぼんくらにかかっても駄目だ。俺の方がはるかに頭がいいんだから、人のことじゃない、自分のことなんだから、俺が勉強しよう、というんで、やむにやまれず医者になった。医者になったんじゃないんだ。医学を研究したんだ。医者にはなりません。

とにかく、すこしでもこの肉体に感ずる苦痛、苦しいやるせなさを、軽くすることを知ってる人がいやしないかと思って、探したな。アメリカからイギリスから、フランスからベルギーからドイツ。誰もこうだと教えてくれる人はなかったのであります。

こう申しあげると、お前、そりゃ、あれだから、一九〇九年ぐらいのことなんだから、五十年も前のことじゃあるまいか、とこうおっしゃるかもしれないが、五十年、半世紀を経過した現在、ソ連の人工衛星が飛ぶような時代が来ても、この方面のことに関しては、いまも五十歩百歩。

✣飛び込めば助かる「扉」はあるか

私はね、外国に行ったら偉い人がいるに違いないから、外国に行ってやろうと思ってね。一番最初に会ったのが、スエット・マーデン。「ハウ・ツウ・ゲット・ホワット・ユウ・ウォント」という本を著わしている有名な学者です。あの本を読んで、私はね、プリントに惚れちゃったんだ。やっぱり世界にはこんな偉い人がいるわい、アメリカだな、と思ってね。しかし、読んだのと見たのとは、ぜんぜん違う。本人に会って、がっかりしちゃった。文字をとおして、天にも地にも換えがたい、偉大な人だと思って、じゅんじゅん私の心の悩みを語った。

「あの本を何べん読んだ。」

「十ぺん読みました。」

「十ぺん読んだ。どの頁に何が書いてあるか、そらで言えるだけ読め。何万回でも。」

「それまで命が持ちません。」

「死んだら、その方の仕合せだ。」

よう言わんわ。読まずして死ぬより、読んで死んだ方が仕合せだ、向うは仕合せかも知れないが、こっちは仕合せでもなんでもないわい。

それから、さらに、カーリントンに会った。そうしたら、この人は、「偉いね、あんたは。アメリカにも、七十、八十の爺さん婆さんはいくらでもいるけれども。ね。朝から晩まで、金だ、品物だ、金だ、品物だ。お前は偉いよ。三十やそこいらでもって、心のことを考えるなんて、何て尊いんだ。お前は。ああ、今日は尊い人に会った。ああ、尊い。」何のことだか、ちっともわからない。おだてられて、ほいほい帰されちゃった。

それから更にロンドンで、H・アディントン・ブリュースに会った。こいつはまた、のっけから、こういうんです。「考えるな、考えるな。忘れちまえばいいんだ。忘れちまえ。苦しかろうと痛かろうと、そんなことを考えるな。忘れちまうのが一番いいんだ。」何だか、まるでね、ごみでも捨てるようなことを言やがる。「だって、自分の身の内に感ずる痛みや辛さは、忘れられません。」「そう言ってるからいけないんだ。忘れちゃえ、忘れちゃえ。何でもいいから、忘れるんだ。その内、忘れられるだろうさ。さよなら。」何だい、こりゃいったい。

一番私に親切に、真面目な説明をしてくれたのは、世界一の人生哲学者である、ドイツのドリュースです。「あなたが考えていることの問題はね、人類にとって重大な問題だ。あなたがさきに考えても、私がさきに考えても、どれだけ世界人類の幸福になるかわからないよ。考えようよ。いっしょに。大いに考えよう。」あれッ、世界一の人生哲学者が、この問題を知らないのか、と思って、私はがっかりしちゃった。

私が論文も出さず、一ぺんも学校にも行かない、ドイツのベルリン大学の、しかも名誉哲学博士の学位を貰ったのは、ドリュースさんからです。その後、二十年たってから、私が弟子たちに教えている心身統一法を、帝国ホテルで講義しているとき、後藤新平伯爵がまだ子爵のころに、子爵の紹介で私はこの人に会った。それから、実は二度目に来たときに、また帝国ホテルのロビーで話をした。

ちょうどこの魚崎の、その当時の商船学校の学生さんが、ドイツへ留学生で文部省から派遣されたときに、私のこの講演を、ドイツの大使館の通訳でもって、ドリュースの前でしたときに、天風先生にそう言ってくれ。こんな好い話を私も弟子たちにしたい。どうか、天風イズムといたしますから、と言って、わざわざ私のところまで、その時分、大変な遠距離電話でしたがね、ドリュースがかけろというからと言って、かけて来た。

いずれにしても、世界屈指の学者が、こういう自分の、現在の病いに苦しめられている心の苦しみは取れないにしても、軽くする方法さえも知らない。ほんとうの失望、ほんとうの落胆というものを、そのとき始めて味わった。それまでは、いくぶん心に望みがあった。いよいよ、明日、ドリュースに会おう。紹介してくれた人は誰あろう、世界的な名女優のサラ・ベルナール。このサラ・ベルナールの紹介で会わせると言われた前の晩は、一睡もしなかった、そうして、会ってがっかりする筈です、いまの答えだ。

この扉、あけて飛び込めば助かると思って飛び込んだら、底の知れない奈落、千《せん》仞《じん》の谷だったと同じような気持。

⑭「人生という旅」で私がつかみとったこと

✣人間、寂しくなると「誰のこと」を思い出す？

西暦一九〇九年の春五月、世界じゅう歩いたら、どこかで偉い奴に、俺の現在の気持が救われるだろう、という淡い希望で、しかもその希望を焔と燃やして、日本から密航を。ビザくれませんから結核患者には。密航して上海に渡って、シナ人になって、アメリカに密航して、そうして、腹のへった犬が、道ばたの食い物をさがして歩くように、アメリカだ、ヨーロッパだと歩いて、二カ年。その間、丈夫な体じゃありません。ともすれば血を吐き、熱はしょっちゅう。そうして、結局、道は人に求むべからず。世界じゅうの人が知らないことを、阿呆め、うろうろあっちこっち探し歩いて、必要でもないのにコロンビア大学を出てからに。

もっとも、そのために得したのは、その代り、日本から行くときに五万円しか持って行かなかった金が、アメリカでもって、その四倍くらいになっちゃった。それはどうしてかというと、シナ人の金持の華僑がコロンビアに来ていて、シナという国は乱暴な国だよ。英語のまるで出来ない奴を留学生によこした。その留学生が、私に、かわりに学校へ行ってくれ。

留学生というから、日本なら、貧弱な懐さびしい学生かと思ったら、そいつ、ホテルに妻子をつれて来てやァがる。そうして、二頭立ての馬車に乗って歩いている。学校に行けばいいのに英語がわからない。毎日、毎日、ぜいたくな遊びばかりやってでてね。そいつが、かわりに学校へ行ってくれ。写真も何もある時代じゃないのですから。そいつの学科は耳鼻咽喉科。分校があるでしょう、コロンビアには。半マイルばかり隔ったところにね。あそこへ行ってからに、私はグルンド（＊基礎）を研究した。そうして、一人の人間が、二人分の免状をとっちゃった。そうして、私が、日本人、中村三郎でとったんならめでたいんだけれども、そうじゃない。孫逸郎、というシナ人の名前で取った。

この、孫逸郎という名前は、シナでしらべたって、戸籍にありゃしません。私が自分でこしらえた名前だ。コロンビア大学には、ちゃんと孫逸郎と書いてある。けれども、世界じゅうで、俺が孫逸郎だと言って出ていっても、証明出来なければ駄目ですよ。私が出て行ったって駄目です。すくなくとも証人が三人いなかったらね。証明してくれるような人は、死んじまって、一人もいやしない。だから、事実上、空白な免状なんだ。もっとも、そんなもの、いらないけれどもね。

そのかわり、いま言ったように、月に千ドルの約束でもって、通学してやった。そうしたら、学位とってやったもんだから、また一万ドルよこした。ポッポの中、すっかり暖まっちゃって、世界中歩いたが、ただ、探し求めて歩いたものは得られなかった。

そこで、何にもならないから死んじまおう、と思ってね。死ぬなら日本に帰って死のう。死んじまおう、というよりも、死ななければならない。余命いくばくもないことは、自分でよく知っていますからね。どうせ死ぬなら、やはり生れた祖国の土の上で死のう。そうだ。富士山のある、桜咲く国、あそこへ帰ろう。幼いときから、物好きに家を飛び出た俺だ。やはり、いざとなると、祖国が恋しい。同じ言葉の通じる兄弟姉妹のいるところがいい。

そうしてね、ほんとうに、人間、淋しくなると思わず、「お母さぁん」と言うんですよ。お父つぁんとは絶対に言わない。親爺、しっかりしろよ、ほんとうに。子供という奴は、おっかさんだけだね。だから、おっかさん。しっかりしなきゃ駄目だぜ。くずれた半襟みたいなおっかさんじゃ、とても、これからの、ほんとうに頼もしい息子を作ることは出来ませんよ。いや、あなた方のことを言っているんじゃあない。多少はそのこともあるけれども、東京の人間のことを言っているんですから、どうぞ悪しからず。

そうして、日本へ帰ろうと思って、フランスの荷船に乗った。人間の運命というものは、妙なものだ。その前、十日ばかり前に出た客船で、これが無条件で上海まで行ったんですが、その、無条件で上海まで行く船に乗っていたら、私は、今日、生きてはいなかったでしょうな。

何だか、妙に、帰るのが心細くなってね、十日ばかり、どうせ帰るなら、もうすこしいなさい、とサラ・ベルナールが言うので、十日ばかりいて、サラ・ベルナールの従弟《いとこ》が船長をしている荷船に乗って、これがペナンまでしか行かない。ペナンで乗り換えて、上海に行きなさい。密航した人間なんだから、日本にまともに帰っては来られませんから。いまなら帰れるけれども、そのときは、まだ十年も経っていないんですから。

✣ヨガの大哲人の「幸福になる言葉」

それから、話せば長いことながら、地中海の船底で、もう、一ぺんもデッキの上へ出たことがない。一週間たったら、私の旅のプログラムの中には全くなかった、エジプトのカイロに出て来た。前にもお話ししましたが、そこでもって、インドのヨガの指導者、カリアッパという人に見いだされたといいましょうか、あるいは気に入られたといいましょうか、血を吐いて、真っ青になってからに、息のヒイヒイいってる人間に、いったい、どこに見どころがあるのか。これが私を、ヒマラヤ第三のピークの、カンチェンジュンガの麓《ふもと》へ連れて行ってくれたのであります。そこが、彼の故郷です。

そうして、毎日毎日、六町一里で三里十八町の山の中に連れて行かれて、華厳《けごん》の滝の三倍くらいある大きな滝の前で、坐禅を組んで、いろいろな問題を与えて考えさせようという、考え方をさせられた。

半年ばかり経ってから、毎日、一緒に山にはいった。インドの人間の中には、この人を垣間《かいま》見る、顔を見るさえ大きな光栄だと思っている人が多いのです。王様でも、この人の傍へ行くには、膝を折らなければならない。その人が、よほど気に入ったんだね。いっしょについて行くと、二カ年数カ月に及んで、ずうっとついていてくれました。

あるとき、きいたことがある。

「誰でもあなたは、お弟子にこうやって教えるんですか、」

「いままで、一ぺんもないよ。」

と言う。

「なぜ、私についていてくださるんですか、」

ときいたら、にっこり笑って、

「天に聞け、」

すぐ、天に聞け、なんです。そうして、独りごとのように言ったのです。

「よく歩けないものは、くっついてやらなければなァ、」歩けない、心の歩みが覚束《おぼつか》ないんでしょうなァ。

同じ行《ぎょう》にはいるんでも、私がたとえばここに坐っているというと、一町くらい離れた、見えるところにいっしょに坐禅を組んで、この人はもう、悟りきっているんですから、私の様子を監視しながら、自分も坐っている。あるとき、話しかけた。これから行にかかろうと思って、先生は驢馬《ろば》の背中に乗って行く。私はそのあとから、てくてく、爪先だけで履《は》ける草履で、何しろ、石で出来ているんですからね、ヒマラヤというのは。大理石の岩ですよ。そこへ坐ろうとしたときに、にっこり笑って、「どうだい、すこしは仕合せになったかい、」非常に流暢な英語で話す人です。日本の学生のような、アメリカ英語ではない。すこしはどうだ。幸福になったか、と言って顔を見ている。

ちっとも幸福になっていないのですからね。幸福になれるのか。私はまだ、自分がヒマラヤの山麓にいるとは、思いもしないんですからね。その前にね、私を車に乗せてここへ連れて来てくれた人が、私の脇に坐っている。その先輩の相弟子に、行ってから一月ばかり経ったころに、ここはいったいどこだい、ときいたら、その答がふるっている。彼らには、ホエア、と言っても駄目です。地図の観念がないんだから。

彼らはそこに生れて、そこよりほかに国なんて言葉は知りゃしない。自分がおるところのほかには、国はないと思っているんだから。ここはどこだい、ときいたら、頭の上の方にいる先生に、今度は、ここはどこだい、ときいている。そうしたら、先生が、

「俺のいるところが、お前のいるところだ。」

これじゃ、かいもく、わからないやね。そうでしょう。あなた方。あなた方が、もし、「失礼でございますが、ここはどこでございましょう、」「ここですか。ここはあなたのおられるところ、私のいるところでございます。さよなら。」と言われたら、気がふれていると思うだろう。

畜生、きくか。きいても何にもなりゃしない。俺はいま、どこにいるかわからない。わかってもわからなくても、来る日来る日、頭が重くて、ゾクゾク熱が出て、寒くて汗が出て来る。足が冷えて来るから、腰に布を巻いているだけ、親に会いたくても、友だちに会いたくても、ただ、眼の中の瞼に思い浮べるだけ。空にちぎれ雲が、東の方へ飛んでゆくと、ああ、あの雲に乗って行きたいな。東の方が日本の国だろう。感傷的にばかりなっちまうんです。

たった一人で、満州・蒙古《もうこ》の奥で、狼が出たって、びくともしないで、勇敢に働いた私だ。昔とはうって変って、感傷的になっちまうんですからね。ですから、何かチョロチョロと這《は》い出して来る虫を見ても懐しい。(ここで、先生は涙声になる)おい、傍《そば》に来いよ、という気になるんですよ。

✤悟りのヒント――「闇の夜に、鳴かぬ鴉の声聞けば」

何が仕合せなものか、すこしは仕合せになれたか、なんて、何て変なことをきくんだろ、と思った。

「ちっとも幸福になりません。」

「そうかい、どうなったら、お前は幸福になれるんだい。」

「せめて病気が治ったら、幸福だと感ずるかもしれませんが。」

「病気が治ったら、幸福だと思うかい。」

「そう思います。」

「そういう気持では、病気が治っても、ほんとうの幸福にはなれない。」

「なれませんか。」

「いい気分に仕合せになりたいだろう。」

「なりたいですよ。なりたいから、あなたがついて来いと言ったから、来たんです。

考えろというから、考えたくもないけれども、ほかに仕事がないからやっているだけの話です。こんなことをするのも、自分の病いだけでもって、考えたこともないのに、考えるよりほかしようがないから、考えています。」

「考えているのかい。」

「考えているつもりです。」

「つもりだけれども、ちっとも考えてはいない。相変らず、痛いの、苦しいの。」

「それはそうです。朝から晩まで、私の頭の中にあるのは、苦しいのと、辛いのだけです。」

「それでは、仕合せになれないな。」

「なれないでしょうか。」

「なれない。」

「せめて、少しでも、気分が重くない状態になったら、仕合せになれると思うんですけど。」

「そうなっても、なれないな。」

「それじゃ、あれですか。私は一生ここにいても、幸福になれないんですか。」

「どこにいても、いまのような気持じゃ、幸福になれないな。」

「なれないですか。」

「なれない。」

「それじゃ、私、帰りたいです。」

「どこへ。」

「生れ故郷へ。」

「ここにいても、生れ故郷へ帰れるじゃないか。ここにいても、死ねば生れ故郷へ帰れる。」

「私は自分の生れ故郷に帰りたいんです。」

「人間は誰でも、いちばんしまいに、いちばん最初の生れ故郷に帰れるのだ。」

そう言われたときに、私はそのことがわからなかった。

後になって私は、禅坊主の教えの中に、こういう言葉があったのを思い出した。

ああ、あのとき、あのカリアッパ先生はこう言ったんだな、と思った。「闇の夜に、鳴かぬ鴉《からす》の声聞けば、生れぬさきの父ぞ恋しき。」生れ故郷というのは、これだな。あなた方。何市何町に生れたのが、生れ故郷だと思うだろうけれども、いちばんはじめはそれじゃあない。この宇宙の中の、見えない気体の中にあなた方がいたのが、父から母と会って、あなた方が出て来たんだけれども、いちばんさきの故郷のことは、闇の夜に、鳴かぬ鴉の声聞けば、生れぬさきの父ぞ恋しき、というところが、生れ故郷。

だからね、ここにいても、故郷に帰りたいと言ったら、死んでしまえば生れ故郷に行かれるんだ、と言いたかったたんでしょうな。

✤「心の中のもう一人のあなた」が正解を知っている！

「お前、ほんとうに仕合せになりたいのか。」

「はい。なりたいと思えばこそ、こうしてやっているんです。」

「それじゃ、すぐ、いまから、仕合せにおなり。」

「えっ、仕合せにはなれませんよ。」

「なれるよ。なれるのに、ならずにいるんだろ。すぐにおなり。仕合せに。」

「先生、無理言ったって、駄目ですよ。あなたのような偉い人なら、すぐ仕合せになれるかも知れないけれども、私はとてもなれませんよ。」

「なれるよ。教えてやれば、わけないけれども、考えなさい。今日、これからだよ。すぐに、今日中には考えつかないかもしれないけれども、三日、五日、十日、半年、もっとかかるかもしれない。一年、二年、三年、期限は言わないが、一所懸命とっ組んで、考えろ。そうすると、お前の心の中の、もう一人のお前が、きっとほんとうのことを教えてくれる。」

「何ですって。私にもう一人の私がいるんですか。」

「そうだ。お前の心の中に、もう一人、ほんとうのことを知っているお前がいるんだよ。それを、こうやって考えている中に、いつかは、ほんとうのことを知っているお前の心の中のもう一人が出て来て、いろいろなことを考えてくれる。きっとそうなるから。」

「へェ。私はいよいよ不思議なことを聞きますが、私の命の中に、もう一人、私がいる。」

「いるんだよ。」

そのとき、私は、この人がヨガの哲学者だということを知らないんですよ。この人がヨガの哲学者だということも知らないし、ヨガの哲学がどんなものかも知らない。日露戦争がすんで、五、六年のころだものね。

ヨガが世界一の人生哲学だということは、アメリカのカーリントンが紹介した。この話を、ちょっとしよう。

エジソンが電波試験をしたときに、急性の神経衰弱にかかった。ひどい神経衰弱にかかって、医者にかかっても治らない。そこで、カーリントンが最後に見つけ出したのが、ヨガの哲学。ラマチャラカという人がアメリカにいましたが、これが契機でもって、カーリントンが述懐した。アメリカの医師階級を、思想的に正しく向上せしめるものが、このヨガの哲学よりほかにはない、といって、それから、まさに、ヨガ哲学の学校が三千からアメリカに出来ているわけです。

その哲学を知らないから、カイロの宿屋の親爺に、ただ、偉い先生が来ていると教えてもらった。

けれども、何の文化もない山の中で、山犬に毛の生えたような男から、お前の心の中に、もう一人のお前がいる。日本の迷信を説くような、新興宗教の言ってるようなことを、チェッ、何言ってやァがんだ、と思ったとき、軽く背中を三つ四つ叩いて、むこうへ行って、また坐っている。チェッ、何がもう一人の俺がいてたまるかい。俺は一人にきまってらァ。

そうするうちに、雑念、妄念がだんだんなくなります。滔々《とうとう》と滝の音をうしろに聞いているうちに。

⑮ 今日から「喜びと感謝の毎日」を生きる!

✣今、死なずにいるのは「丈夫な心」のおかげ

ふと私は、それから約一年ばかり前に、パリにいたとき、サラ・ベルナールが読んでごらんなさい、と言って渡した、イマヌエル・カントの伝記を、思い出すともなく思い出したのであります。

私の心の中の、まさに、もう一人の自分が思い出したのだとしか考えられない。考えようともしなかったことですよ。カントはご承知のとおり、ケーニヒスブルクという、ドイツの、いまは国際飛行場になっていますが、そのじぶんには、ただの

宿場《しゅくば》であります。

その宿場の、馬の蹄鉄《ていてつ》打ちの親爺の子供に生れたのが、カントであります。学校の生徒さんたちよ。イマヌエル・カント先生が、もしも大きな革屋の、金持の家に生れたと教わったら、嘘ですよ。あれは、のちにそうなった。生れたときには、貧しい、馬の蹄鉄打ちの倅《せがれ》に生れた。そうして、因果なことには、くるっと背中に、団子みたいな瘤《こぶ》があった。乳と乳との間は、二インチ半。脈がしょっちゅう、百二、三十打って、ゼイゼイ喘息でもって、いまにも死にそうな子供だった。それでも、十七までくらいは、毎日、苦しい、苦しいとのた打ち廻って、死なずに生きていた。いまのように、医者にもかけない。年に二度か三度、町の医者が巡回して来るんでしょう。

あるとき、医者が来た。親爺がカントの手を引いてからに、どうせ駄目だろうと思うけれども、せめて、この、苦しさだけでも軽くしてやろう、と医者の前に連れて行った。医者が診たところで、どうしようにもしようがないでしょう、生れつきだ。しかし、そのとき、医者の言った一言が、カントをして、あの世界的な偉い人にしてしまったんですよ。だから、人間は、冗談ひとつでも、無駄にしゃべっちゃいけないということが、これでわかる。

カントはじっと、医者が何を言うか、耳をすましていた。きっと、駄目だと言うにきまっている、と思ってね。覚悟していたら、これは自叙伝に書いてあることだが、医者はつくづくと顔を見ながら、

「気の毒だな、あなたは。しかし、気の毒だな、と言うのは、体を見ただけのことだよ。よく考えてごらん。体はなるほど気の毒だが、苦しかろう、辛かろう、それは医者が見てもわかる。けれども、あなたは、心はどうでもないだろう。心までも、見苦しくて、息がドキドキしているなら、これは別だけれども、あなたの心は、どうもないだろう。そうして、どうだ、苦しい、辛い、苦しい、辛いと言っていたところで、この苦しい、辛いが治るものじゃないだろう。ここであなたが、苦しい、辛いと言えば、おっかさんだって、おとっつぁんだって、やはり苦しい、辛いわね。言ったって言わなくたって、何にもならない。ましてや、言えば言うほど、よけい苦しくなるだろ、みんながね。言ったって何もならない。かえって迷惑するのはわ

かっていることだろ。同じ、苦しい、辛いと言うその口で、心の丈夫なことを、喜びと感謝に考えればいいだろう。体はとにかく、丈夫な心のおかげで、お前は死なずに生きているじゃないか。死なずに生きているのは、丈夫な心のおかげなんだから、それを喜びと感謝に変えていったらどうだね。出来るだろう。そうしてごらん。そうすれば、急に死んじまうようなことはない。そして、また、苦しい、辛いもだいぶ軽くなるよ。私の言ったことはわかったろ。そうしてごらん。一日でも、二日でもな。わからなければ、お前の不幸だ。それだけが、お前を診察した、私のお前に与える診断の言葉だ。わかったかい。薬はいりません。お帰り。」

カント流「現実を喜びと感謝に変える」法

また遠い道をてくてく歩きながら、親子いっしょにわが家へ帰って来た。いろりの前にちょこねんと坐ったカントは、いま医者に言われて来た言葉を考えた。梅檀《せんだん》は双葉より芳《かんば》し。蛇は寸にして人を呑む。やはり、世界の哲学者の最高峰を行く人間になろうカントだ。何も学問らしい学問は、田舎の山の中の子供なんだから、していなかったろう。

じっと考えているうちに、そうだ、あのお医者の言った、心は患っていない、それを喜びと感謝に振り替えろと言ったけれども、俺はいままで、喜んだこともなければ、感謝したことも一ぺんもない。ただ、朝起きると、夢の中でも苦しかった、辛かった、それればかりが、俺の口癖だった。冗談にも、嬉しいとか、有難いとか言ったことはない。それを言えと言うんだから、言って見よう。言ったって損はないから言って見よう。

親爺が、「もう寝ろ、寝ろ、」と言うと、「心の丈夫なことは、有難うございます。」

「何をくだらないことを言っているんだ。」

「いえ、いまお医者さんに言われたことを、ここで一所懸命、おさらいをしているんです。」

「くだらないことを言わないで、早く寝ろ。」

「くだらなくないよ、おとっつぁん。さっき連れて帰ってもらってから、いままで、一ぺんも、痛いも苦しいも言わないだろ。」

「ふん、言わないな。痛くないから、言わないんだと思った。」

「ただ、医者の顔見ただけで、痛いのが治ると思うかい。痛い、苦しいと考えても、治らないことを考えるのは止《や》めるんだ。とにかく、止めるだけ止めて見ろ。そうして、有難うござんす、嬉しゅうござんす、と一所懸命言うんだよ、とそう言うから、嬉しい気持になるかならないか、わからないよ。でも、そう言っている間、痛い、辛いと言わないだけでも、おっかさん、おとっつぁんたちは、心配しないだろ。」

「ああ、心配しないよ。」

「しなければ、それでいいんだよ。」

　寝て起きて、また明日、医者に言われたことを考えるだけで、喜びと感謝の毎日。そのうち、三日ばかり経つうちに、いつの間にか、カントの頭の中に、こういうことがひらめいた。人間というものは、こういう気持でいるだけで、いままでとは、いくらか違って来た。苦しい、辛いと言わない。こういう気持でいると、当分死なないだろう。死なないけれども、炉ばたで、ただそれだけを考えているのでは、死んだのと同じだ。

子供の考え方としては、実にませているわね。どうせ三年でも五年でも、死なずに生きているとしたら、ここでぼうっと坐っているだけで、おとっつぁん、おっかさんにいまのような苦労はかけないにしても、もちろん、多少は心配だろうが、心は何ともないんだから、まず、心と体と、どっちがほんとうの俺なのか、これを一つ、考えて見よう。

どうです。カントはこんな気持になった。そうして、それを考えたことで、どっちがほんとうの自分かわかっただけでも、世の中のために、すこしはいいことになりゃしないか。

ちょうどフランスのお医者さんの中で、人間というものは、肉体がもとで生きているのか、心がもとで生きているのか、という華やかな争いになって、メカニズムが真なりや、ヴィタリズム（*生気論）が真なりや。そのことを、山の中の子供でも、噂に聞いていたんでしょう。あれに、俺のいま考えていることが、幾らか参考になりゃしないかしら。そうして、すこしでも人の役に立ちゃしないかしら。このあいだまで、ただ、辛い苦しい、辛い苦しいで、何にも人の世の中のことなんて、考えてみたこともなかった。そうだ料簡《りょうけん》を入れ替えて、すこしでも人の世の中のためになることを考えよう。

✣形容出来ない「嬉しさ」「愉しさ」

この文章を読んだとき、私は三十五だった。ほんとうに涙が出た。俺は三十五でアメリカまで行って医学を学んで立派な知識がありながら、人のためどころか、カントの悟りを開かない前の、あの子供のときと同じだ。毎日、今日は熱が出やしないか、今日は血を吐きゃしないか、今日は苦しいの、そればかりを考えた。なんと山の中の十七の子供が、こんなことを考えたのか。くやしいの、情ないの、ああ俺はとんでもない馬鹿だ、とそのとき思ったのです。

それを思い出した、山の中で。ああ、あのとき、あの本を読んで、俺は胸が裂けるような感慨に打たれた。いつか、それを今日まで忘れていた。そうだ。いまからすぐ、仕合せになれらァ。先生がそう言った。たったいまから、その苦しさから離れて、こういう真理を考えながら生きてゆこうという気持が出たことを、喜び感謝しようという気持になれるという、先生の示唆じゃないかしら、暗示じゃないかしら。いま、こういう気持に俺がなるのも、もう一人の自分が出て来たからだ。ああ、そうか。俺は今日から、どんなことがあっても断然、その尊い気持で絶対に生きて行くぞ。

それを遠くの方から見ていた先生が、タタッと駈けて来て、

「アーユー・ギャバティ、」

ギャバティとは悟《さと》ったな、という意味です。

「悟りました、先生。」

それからのちの私は、まったく、薄紙ではなく厚紙をはがすように、毎日毎日、来る日来る日、嬉しくて愉しくて、なんとも形容出来ない。ただ、有難い、嬉しいと思うことに努めただけで、一週間たち、二週間たち、一月たち二月たつにしたがって、ぐんぐん気持の中が洗い清められるようになった。同時に肉体が、どんどん

治って来た。

✧人生は「窓をあける」だけで明るくなる

これは講習会で教えることですが、なぜ、そういうふうに心の持ち方が変った場合に、体がよくなるかというと、人間の神経系統の中にあるヴィス・メジカトリックス・ナチュール（自然治癒力）というものと、心の持ち方との関係をお話ししますとね。私は自分でも驚くほど、それからのちの私は、今日の天風教義の基礎を作りうるほど、自惚《うぬぼ》れもまじっているかもしれませんけれども、自分が作り替えられていった、と自覚するほど、私は変っちまったのであります。これを私は、あなた方に、今日、はっきりわかっていただきたいと思って、この演題をもうけたのであります。

この中には、病気の人もおありでしょう。また、運命的に恵まれない人もありましょう。それを、恵まれない、恵まれないと言ってからに、お互いの生きる世界を暗くして、窓をあければ明るい座敷を、窓をしめて暗くしているような人生に生きるのでは、人間として生れたからには、もったいないことじゃないでしょうか。二度も三度も生れ変るものならいい。人の命は、一ぺん死んでしまったら、二度とこの世に出られません。

である以上、たとえ現在がどうあろうとも、三寸の息絶えて、万事休す、その日まで生きているんですから、死なないかぎりは生きているんですから、たとえどんなことがあろうとも、生きているというこの有難さを心に思い、どんな辛いことがあろうとも、どんな悲しいことがあろうとも、すべてこの俺が、もっと高い心の境地になるための、天の試練なり、というふうに考えて、それを喜びと感謝に振り替えたら、どうでしょう。

いま、このことをそうだと思ったら、その人は今日から以後、ほんとうの幸福というものを味わいうる人です。理屈はどうかしらないけれどもね。それはお前さんが偉いからだよ。俺の現在の病いや運命でもって、笑い顔ひとつ出来るかい、という気持を持っている人は、縁のない人であります。宇宙の真理はああだ、こうだと理屈を言う必要はないのであります。論より証拠です。喜びと感謝の気持になって、生きてごらんなさい。理屈を言わないで。自然とあなた方の心の中に、大きな光明が輝き出すから。

人間には、辛がったり苦しがったりするほうの自分と、喜びと感謝で生きられるほうの自分とがあります。心の中の、もう一人の自分を探し出して、たったいまから、どんな人生に生きようとも、矢でも鉄砲でも持って来い、俺の心は汚されないぞ。俺の心の中は、永久に、喜びと感謝でいっぱいなんだ、という気持で生きてゆかれれば、その結果、どうなるか。事実がきっと、あなた方に大きな幸福という訪れでもって、お応《こた》えすると思います。

申しあげたいことはやまやまありますが、どうか、一人でもいい、わかってください。あなた方、個人の幸福は、また、人の世の幸福です。そういう人間が一人でもこの芦屋に数を増やせば、芦屋こそ、ほんとうに、日本の、いや世界の代表的な理想都市になる。そのとき、外国人に、来て見てくださいと言っても、恥しくない町が出来あがることを、私は確信します。

人の世は、「箱根山、籠《かご》に乗る人担《かつ》ぐ人、そのまた草鞋《わらじ》を作る人。」この世の中は、おのれ一人で生きている世界ではありません。どんな場合であっても、自分の苦痛や辛さは、自分の心のお蔵の中にしまっておいて、喜びと愉しさ、あるいは有難さという、この気持で生きることを、まず、あなた方が、その先達《せんだつ》になっていただきたい。

では、みなさん、お元気で。ご機嫌よう。

天風先生と私

私が天風先生に始めて会ったのは、あれは何時だったか。いまから三十年も昔、私は小石川の林町に住んでいたが、すぐ近所に、中央公論社の前社長の嶋中雄作さんの家があって、よく遊びに行ったものである。

天風先生はその頃、嶋中さんの長男の病床をよく見舞われたと言う。私はそこで、確かに、天風先生にお目にかかったと言う。お目にかかったと言うというのは、私には全くその記憶がないからだ。天風先生のあの特異な風貌を見て、記憶がない、などと言えようか。とにかく、そのときどきの自分に、関心のあることだけにしか心が開かず、他のことは凡《すべ》て、うわの空であった自分の過去に、呆れ返るより外はない。

あの三十年の昔、天風先生を知ることが出来ていたら、私の人生は全く違っていた。私は現在の私ではない。全く別人のような強い心の私になっている筈だからである。勿論、作家としても現在の私ではなく、幾つかの世に問う作品を、立派に書き上げている筈だからである。あの三十年の昔よ。返ってくれ。もう一度、天風先生の薫陶《くんとう》を、三十年間も享《う》けられるような僥倖《ぎょうこう》を返してくれ。いくら悔んでも返らない。私の一生にとって、こんな痛恨事はないのである。

しかし、私が二度目に、いや、私にとって始めてと思われる、先生に会ったのは、いまから六年前である。先生はそのとき、既に八十八歳であった。私の近くにいる人で、「一度でいいから、先生に会いに行きましょう。」と、しつっこくすすめた人がある。私はその人の熱心さに負けて、いわば単なる好奇心で会いに行っただけのことである。いま思うと、この私の好奇心に、百万べんの礼を言いたい。三十年前ではなく、ただの四年間でも、（先生は一昨年の暮に亡くなられた。）先生の薫陶を享けられたということは、何と言う仕合せであったろう。この四年間に、私は自分でも信じられないほどの変り方をした。おかしなことであるが私は、いまから十七、八年前、『おはん』という作品を書いたあと、ぴたりと筆がとまった。一行も書けない。他にもいろいろな、書けなくなりそうな事情はあった。それにしても、ぴたりと、一行も書けなくなろうとは。そうだ。その頃の私の頭の中に去来した思いの一つに、「私はもう書けない。私にはもう書くことがない。私はちょうどそういう年齢に達したのだ。詩想が枯渇する年齢に達したのだ。」という、一つの牢固《ろうこ》として抜き難い考えがあった。

「人間は何事も自分の考えた通りになる。自分の自分に与えた暗示の通りになる。」ある夜、天風先生が言われた。「出来ないと思うものは出来ない。出来ると信念することは、どんなことでも出来る。」そう言われた。ほんとうか。では、私は、書けないと思ったから書けないのか。書けると信念すれば書けるようになるのか。

十七、八年の間、ぴたりと一行も書けなかった私が、ある日、ほんの二、三行書いた。書ける。また、一枚書いた。書ける。ひょっとしたら、私は書けるのではあるまいか。そう思った途端に書けるようになった。書けないのは、書けないと思ったから書けないのだ。書けると信念すれば書けるのだ。この、思いがけない、天にも上るような啓示は何だろう。そうだ。失恋すると思うから、失恋するのだ。世の中の凡てが、この方程式の通りになると、ある日、私は確信した。そのときから、私は蘇生したように書き始めた。

これは全く別の話であるが、あるとき、テレビを見ていたら、面白い番組に出会った。ヒンズー生れの一人の青年が、頭の前髪の毛を一握り持って、それに長い麻縄を結びつけた。青年の背後に、一台の自動車がある。青年は自分の髪の毛に結びつけた麻縄を、自動車の胴体にぐるりと廻して縛った。さて、その自動車の、客席と言わず、車の屋根の上と言わず、前と言わず、横腹と言わず、大人が鮨詰めに乗って、数えて見ると、全部で十一人の人間が乗った。その十一人乗りの自動車を青年は、髪の毛につないだ麻縄によって、曳《ひ》き出そうと言うのだ。

馬鹿な、そんな馬鹿なことがあるものか。しかし、青年は身構えした。曳いた。自動車が動いた。また曳いた。するすると車が動き出したと見る間に、忽《たちま》ち七、八間、十五、六間と車を曳いたのである。

なぜ、このとき、青年の髪の毛は血を噴いて抜けてしまわないのか。なぜ、この髪の毛だけで、十一人乗りの車を曳いたのか。答えは簡単である。青年は、自分は髪の毛だけで十一人乗りの車が曳ける、と確かに信念したからである。

この魔法は、凡《あら》ゆることに応用出来る。天風先生は私に、この魔法の根源を教えて下さった。私は突然、眼が開いたような気持になった。

天風先生の話は凡て、何事かの啓示である。うわの空で聞いていてもよい。まるで「小さん」級の噺し家のような名人芸で話される先生の話を、聞くものは思わず、「あはははは、」と笑いこけてしまう。そして笑ってしまったあとで、おや、この話には何かあるな、と気がつく人もあり、気がつかない人もある。

それでも一向に構わない。たぶん先生は、噺し家や落語家の話し振りを、ひそかに研究されたものと思うが、一堂に集って先生の講話を聞く人たちの中には、宮さまを始めとして、大臣、大学教授、人間国宝の画家、技工家から、肴屋のおかみさん、農家のお爺さんから、力士、ボクサー、学生、子供の類に到るまで、千差万別である。そういう雑多な聴衆を前にして、あれより他の、どんな話し方があるだろうか。私たちはまるで寄席にでも行っているつもりで、あの、先生独特の深遠な人生哲学を聞きながら、あるとき、はっと我に返るのである。あるとき、はっと思い当ることがあるに決っているから。

始めて先生に会った人は、先生の年齢を聞いて吃驚《びっくり》する。私がお会いしたのは、先生の八十八歳のときであるが、武術で鍛えた先生の体は、しゃんと直立して、微動だにしない。顔には皺《しわ》がない。ぴんと張った頬は、紅を塗ったかと思うほど赫《あか》く、艶がある。大きなその眼は、眼光炯々《けいけい》としたかと思う瞬間に、一種形容し難い微笑を含んで、子供のようであった。

先生はたぶん、お洒落というのかと思うが、藍色紬《あいいろつむぎ》の着物に同じ地質の淡色の羽織、襦袢《じゅばん》の袖の色も水色で、羽織の紐まで色が考えてある。やや派手な縞柄《しまがら》の袴《はかま》まで、寸分の隙もないいでたちだが、講話が始まると、その強烈な印象は雲散霧消して、人々はただただ、その話術の囚《とりこ》になる。不思議な現象であった。恐らく、先生のこのお洒落も、小さん級の話し方と一緒に、愚者を誘い込む一種の術かと思いながら、私はいつでも、先生に見惚れていたことを忘れない。

この「天風先生座談」は、天風先生の講話の中から、出来るだけ、先生の生《なま》の声の印象をそのままにと留意して、編輯《へんしゅう》したものである。ちょうど私が、先生の講話によって蘇生したのと同じ経過で、幾百万の読者が、その同じ幸運に会われるようにと、敢えて世に問う訳である。先生の経験は作られたものではない。そのとき、先生はどうされたか。凡ゆる場合に、生きた手本をもって示されるからである。幸福は幸福を呼ぶ。先生の講話を読んだ幾百万の人々の心に、相呼応するものは何か。その幸福の集積は何であろう。

宇野千代

財団法人天風会へのお問合せは左記へお願いいたします。
〒112-0012　東京都文京区大塚五-四〇-八　天風会館
電話　〇三-三九四三-一六〇一
公式サイト　http://www.tempukai.or.jp/

本書は、二見書房より刊行された『天風先生座談』を、再編集のうえ、改題したものです。

宇野千代（うの・ちよ）

一八九七年山口県生まれ。一九二一年処女作『脂粉の顔』で作家活動に入る。三五年に名作『色ざんげ』を発表。その翌年に会社を設立、日本初のファッション誌『スタイル』を刊行。五七年、代表作『おはん』で野間文芸賞、女流文学賞を受賞。六四年中村天風を知り、天風哲学に影響を受ける。八三年『生きて行く私』を発表、ベストセラーとなる。九〇年、文化功労者として顕彰。九六年没。享年九八歳。明治、大正、昭和、平成それぞれの時代を強く生き抜いてきた女流作家であると同時に、きもののデザイナーとしても活躍した。

中村天風（なかむら・てんぷう）

一八七六年東京府生まれ。日露戦争の軍事探偵として活躍。当時、死病であった肺結核を発病したことから人生を深く考え、真理を求めて欧米を遍歴。その帰路、インドのヨガ聖者の指導を受け、心と身体の健康法を身につける。帰国後、「心身統一法」として、真に生きがいのある人生を生きる実践哲学を確立。東郷平八郎、尾崎行雄、後藤新平といった人々から支持され「天風哲学」として高く評価される。一九六八年没、享年九二歳。

知的生きかた文庫

中村天風《なかむらてんぷう》の生《い》きる手本《てほん》

著者　宇野千代《うのちよ》／中村天風《なかむらてんぷう》・述《じゅつ》

発行者　押鐘太陽

発行所　株式会社三笠書房

〒一〇二―〇〇七二　東京都千代田区飯田橋三―三―一

電話〇三―五二二六―五七三四〈営業部〉

〇三―五二二六―五七三一〈編集部〉

http://www.mikasashobo.co.jp

印刷　誠宏印刷

製本　若林製本工場

ISBN978-4-8379-7615-8 C0130

知的生きかた文庫

マッキンゼーのエリートが大切にしている39の仕事の習慣

大嶋祥誉

「問題解決」「伝え方」「段取り」「感情コントロール」……世界最強のコンサルティングファームで実践されている、働き方の基本を厳選紹介！　テレワークにも対応!!

頭のいい説明「すぐできる」コツ

鶴野充茂

「大きな情報→小さな情報の順で説明する」「事実＋意見を基本形にする」など、仕事で確実に迅速に「人を動かす話し方」を多数紹介。ビジネスマン必読の1冊！

なぜかミスをしない人の思考法

中尾政之

「まさか」や「うっかり」を事前に予防し、時にはミスを成功につなげるヒントとは――「失敗の予防学」の第一人者がこれまでの研究成果から明らかにする本。

できる人の語彙力が身につく本

語彙力向上研究会

あの人の言葉遣いは、「何か」が違う！「舌戦」「仄聞」「鼎立」「不調法」「鼻薬を嗅がせる」「半畳を入れる」……。知性がきらりと光る言葉の由来と用法を解説！

世界のトップを10秒で納得させる資料の法則

三木雄信

ソフトバンクの社長室長だった著者が、孫正義社長仕込みの資料作成術の極意を大公開！　10種類におよぶ主要資料作成のツボと考え方が、これ1冊で腹落ちする!!

C50435